언택트 시대의

크리스천 가치관 수업

상권

김재헌 지음

대|경|북|스

언택트 시대의

크리스천 가치관 수업

상권

1판 1쇄 인쇄 2021년 6월 10일
1판 1쇄 발행 2021년 6월 15일

지은이 김재헌

발행인 김영대
표지디자인 김영대
편집디자인 임나영
펴낸 곳 대경북스
등록번호 제 1-1003호
주소 서울시 강동구 천중로42길 45(길동 379-15) 2F
전화 (02)485-1988, 485-2586~87
팩스 (02)485-1488
홈페이지 http://www.dkbooks.co.kr
e-mail dkbooks@chol.com

ISBN 978-89-5676-855-7
978-89-5676-854-0(세트)

프롤로그

가치를 세워요

♣

아이들에게 올바른 가치를 심어주는 일은 잘 먹이고 잘 입히는 것보다 더 중요합니다. 미래학자들은 말합니다. 적어도 15년 후 가장 큰 경쟁력은 정직이라고 말입니다. 정직이란 맨날 과외를 받아 열심히 배운다고 생기는 지식의 문제가 아니라 자라면서 깨달아야 할 품성의 문제입니다. 어떤 경우에도 양보하지 않는 확고한 가치관을 세워서 어릴 때부터 실천하게 해야 세워지는 덕목이죠.

그러면 어떻게 해야 이러한 덕목들을 아이들에게 심어줄 수 있을까요? 대개의 사람들은 한 권의 책을 읽고, 우리는 재미있다는 둥 별로라는 둥, 지나치게 교훈이 앞선다는 둥, 말의 재미만 있다는 둥 여러 가지 반응을 하게 됩니다. 책을 읽는 아이가 어디가 좋았다거나 왜 좋았냐를 굳이 따져볼 까닭이야 없지만, 책을 소개하는 사람이나 비평하는 어른에게는 "왜 그런 느낌이 들었는지"를 물어보는 일은 중요하죠.

아이들은 책을 읽고 마음속으로 반응한답니다. 반면 어른들은 머리로 반응합니다. 그래서 자칫 어른들이 어린이 책에 반응하는 것이 관념에 머무를 가능성이 큽니다. 관념에 머무르지 않고 올바로 작품을 들여다볼 수 있으려면, 작품을 여러 번 읽고 그 작품 속에 숨어 있는 특질을 찾아서, 어떤 타당성이 있는지 하나하나 따져볼 필요가 있습니다.

어린이문학에는 문학이 담고 있는 특질이 그대로 살아 있습니다. 그러므로 작품의 소재와 주제만을 살펴보는 일에서 나아가, 한 작품이 얼마나 녹아 있는가를 살펴보는 일은 아주 중요하답니다. 문학은 사상이나 지식을 그대로 가르치는 책이 아니라, 독자에게 작가의 생각을 전달하려는 의사소통이랍니다. 그런 점에서 작가의 생각이 그 마음속에서 성장됨에 따라 이루어지는 모양이며, 독자한테 그 생각을 전달하려는 방법인 구성이 중요할 수밖에 없죠. 그래서 구성이 좋은 책을 매개로 아이들과 이야기를 나누며 아름다운 가치를 심어주는 것은 너무나도 중요합니다.

1919년 프랑스의 파리에서 평화를 위한 국제회의가 열렸어요. 세계 여러 나라의 지도자들이 참석했는데 아랍(중동)의 지도자들도 이 회의에 초청되었어요. 아랍의 지도자들은 파리의 멋진 호텔에 머물게 되었어요. 그런데 그들은 욕실에 있는 수도꼭지에서 쉴새없이 물이 나오는 것을 보고 너무나 깜짝 놀랐어요. 왜냐하면 중동 땅에는 물이 너무나 귀했기 때문이지요. 그래서 물이 콸콸 나오는 신기한 물건을 쳐다보고 또 쳐다보았어요.

그런데 회의가 끝날 무렵 웃지 못 할 일들이 일어났어요. 아랍의 지도자들이 사용했던 숙소의 수도꼭지들이 전부 없어진 것이었어요. 그들은 수도꼭지가 물을 콸콸 나오게 하는 신기한 물건이라고 생각한 것이지요.

제 손에 수도꼭지가 있다고 쳐요. 지금 이 수도꼭지를 돌리면 정말 물이 나올까요? 아니지요. 그럼 왜 집에 있는 수도꼭지를 틀면 물이 나오는데 이 수도꼭지에서는 물이 안 나오는 것일까요? 그래요 수도꼭지에서 물이 나오려면 물의 근원과 연결이 되어 있어야 하는 것이죠. 마찬가지로 아이들에게 무엇인가를 가르치려면 근거가 필요하답니다. 그 근거가 되어주는 이야기가 바로 이 책에 실린 글들이랍니다.

이 책을 읽으면서 아이들과 아름다운 가치와 성품에 대해 서로 이야기를 나누어보세요. 그래서 아이들 스스로가 올바른 가치를 깨닫고 세워 나갈 수 있도록 도와주세요. 세상이 혼탁할수록 아름다운 가치는 빛을 나타낸답니다. 이 책을 읽는 아이들이 세상의 주인이 되는 날, 우리 아이들 때문에 미래가 좀 더 아름다워졌으면 합니다.

2021년 여름을 맞으며

CONTENTS

차 례

말씀 1 은혜와 진리 Logos & grace

말씀 2 인자와 진리 Merciful & Logos

말씀 3 인격을 만드는 은혜의 힘 Power of grace to make personality

CONTENTS

CONTENTS

말씀 19 무섭지 않아요! 난 할 수 있어요!
It's not scary! I can do it!

말씀 20 마음의 엔진 Engine of mind

말씀 21 하고 싶은 일을 이루는 것
to do what you want to do

CONTENTS

말씀 22 진리를 알 때 자유가 와요
The truth will make you free

말씀 23 자유는 방종하지 않아요
Liberty does not indulge

말씀 24 자유를 누릴 실력을 키우라
Increase your ability to enjoy liberty

은혜와 진리

Logos & grace

(말씀 _ 1)

| 본문 살전 1:2-3 |

우리가 너희 모두로 말미암아 항상 하나님께 감사하며 기도할 때에 너희를 기억함은 너희의 믿음의 역사와 사랑의 수고와 우리 주 예수 그리스도에 대한 소망의 인내를 우리 하나님 아버지 앞에서 끊임없이 기억함이니

외울 말씀

"그러나 노아는 여호와께 은혜를 입었더라."(창 6:8)

관련 동영상

성품이 인생을 결정한다

의문의 X(방정식)

빛의 정체

세상을 만드는 씨줄과 날줄 – '은혜와 진리'

$$X = ab$$

사랑하는 여러분!

혹시 위와 같은 등식을 본적이 있나요? 고학년들은 본적이 있겠지만 어린 친구들은 잘 모를 수도 있습니다. 여기서 X란 알고 싶어하는 어떤 것을 X라고 정해 놓는 것이죠. 즉 "이게 뭘까요?"라고 물어보는 것을 'X'라고 합니다. 그래서 이 등식을 문자로 쓰면 "X는 a에 b를 곱하는 것이다"라고 표현할 수 있습니다.

어려운가요?

지금은 어렵지만 조금만 생각에 생각을 더해 보면 이해가 되고 재미있을 겁니다.

자! 여기서 X는 그리스어인 로고스(Logos)라고 할 수 있어요. 성경 요한복음 1장1절에 "태초에 말씀이 계셨다"라는 말씀이 나와요. 여기 나오는 한글로 번역된 '말씀'이 원래 그리스어로 '로고스'인데, 말이라면 논리를 갖추어야 하기 때문에 철학적으로 '이성'의 뜻으로 번역되기도 한답니다. 그래서 "하나님을 곧 로고스라고 하자", "로고스라는 줄임말로 정하자"는 것이죠.

서로 약속하여 정하는 것을 미지수*라고 해요. 수학에서는 이렇게 아직 알지 못하는 어떤 것을 정할 때 X라고 표현하기로 정했답니다. 여기엔 재미있는 일화가 있어요.

X가 미지수가 된 까닭은?

X를 미지수의 기호로 처음 쓴 사람은 프랑스의 철학자이자 수학자인 데카르트(1596~1650)였어요. 이와 관련된 근거가 불확실하긴 하지만, 재미있는 이야기가 있어요. 데카르트의 책 《기하학》을 인쇄할 때 마지막 부분에 가서 활자가 동이 났대요. 그러자 인쇄

* 미지수(未 ; 아닐 미, 知 ; 알 지, 數 ; 셈 수) : 아직 알고 있지 못한 어떤 수. 미지수는 무슨 수를 말하는 것일까? 미지수란 아직 알고 있지 못한 어떤 수를 말해요. 예를 들어 '7 × □'라는 식에서 7은 알려진 수이지만 □는 어떤 수인지 모르죠. 즉 □가 미지수예요. 미지수는 □, △, x와 같이 나타낼 수 있어요.

공이 미지수 대신 X를 써도 되냐고 물었고 데카르트는 허락했죠. 그 이유는 당시 프랑스에서는 X가 다른 알파벳보다는 덜 쓰였기 때문이라고 해요.

그런데 성경이 기록된 시기는 2000년 전이었어요, 아직 미지수 X라는 개념이 없을 때였죠. 그래서 그리스 시대의 철학자들이 하나님을 인과관계가 설명될 수 있는 최초의 원동자, 창조자인 로고스(Logos)라고 정해두자고 약속했던 것입니다. 그러니 말씀으로 번역된 '로고스'는 미지수이긴 하지만, 이 세상 만물의 최초의 원동자, 창조자로서 '하나님' 혹은 '예수님'을 가리키는 것이라고 할 수 있겠지요.

로고스는 은혜와 진리의 곱하기

다시 성경으로 돌아가 보면 요한복음 1:14절에 이렇게 기록되어 있어요.

> "말씀(Logos)이 육신(사람)이 되어 우리 가운데 거하시매(생존) 우리가 그의 영광을 보니 아버지의 독생자의 영광(증명)이요 은혜와 진리가 충만하더라"

여기서 'X', 즉 로고스(L)를 하나님 혹은 예수님이라고 가정한다면 하나님은 a와 b의 연합체라고 말할 수 있다는 뜻입니다.

X = ab
예수님 = 은혜 × 진리

신약성경을 기록한 예수님의 제자 요한(John)은 하나님을 증명하는 그 X(=Logos)를 a(은혜)와 b(진리)의 연합이라고 말씀하였지요.

은혜와 진리가 무엇인지 알아야 하나님을, 그리고 예수님을 발견할 수 있어요. 예수님은 사람처럼 몸을 입고 이 세상에 성육신(成肉身)하여 오셨지만, 그분이 하나님이시라는 확실한 증거는 '은혜와 진리'가 충만한 삶을 사셨고 우리에게 보여주셨다는 뜻입니다. 거꾸로 이야기하면 누군가 '은혜와 진리'가 충만한 삶을 살고 있다면 '내가 너희 안에 있다'는 요한(14:10)의 말씀대로 그는 하나님이거나 예수님이라는 뜻입니다.

그런데 이 세상 역사 속에서 은혜와 진리가 완벽하게 조화를 이루어 충만하도록 사신 분은 예수님밖에 없다는 겁니다. 그래서 하나님임을 증명하는 등식을 "은혜와 진리"라고 요한복음에서 말씀하고 있습니다.

은혜와 진리의 충만

이 글은 모든 이들에게 하나님을 만나게 하고, 하나님의 아들이신 예수님을 만나게 하고, 예수님이 하나님이시라는 증거가 되는 완벽하신 성품인 '은혜'와 '진리'에 대한 3년간의 말씀을 담고 있습니다.

은혜와 진리는 마치 우리 몸을 구성하는 이중 나선 구조인 'DNA'처럼 가장 기초적인 3가지 원색을 만들어낸답니다. 이것은 태양이 밝은 빛이지만 크게 나누어 보면 눈에 보이는 광선인 가시광선과 보이지 않지만 존재하는 비가시광선이 합해져서 세 가지의 삼원색을 만들어 내듯이 말입니다.

요한복음을 기록했던 사도 요한이 기록한 또 다른 말씀인 요한1서 1:5에서 이렇게 증언합니다.

> "우리가 그에게서 듣고 너희에게 전하는 소식은 이것이니 곧 하나님은 빛이시라, 그에게는 어둠이 조금도 없으시다는 것이니라."

즉 하나님은 빛이시라는 사실입니다. 빛을 가만히 보면 백색광선밖에 보이지 않는 것 같지만, 프리즘 거울을 거치면 그 안에 다양한 색깔이 존재한다는 것을 알 수 있습니다. 너무나도 아름다운 색이죠. 간단하게 설명하면 빨강 · 파랑 · 노랑의 삼원색이지만, 조금 더 확장해 보면 7색의 무지개 색으로 보이죠. 그리고 삼원색을 다양하게 혼합하면 144,000가지 색깔이 생깁니다.

믿음, 소망, 사랑

제자 요한이 증거하듯 '하나님은 빛'이라고 선언합니다. 이것은 빛이 하나님이란 뜻이 아니라, 하나님의 존재하시는 모습이 빛과 유사하다는 뜻입니다.

여러분! 우리가 낮에 하늘에 떠 있는 해를 보면 눈을 뜨고 제대로 볼 수 없을 겁니다. 그리고 우리가 볼 수 있는 빛은 하얀빛일 뿐입니다. 하지만 그 빛은 크게 두 가지 성질로 나누어집니다. 그

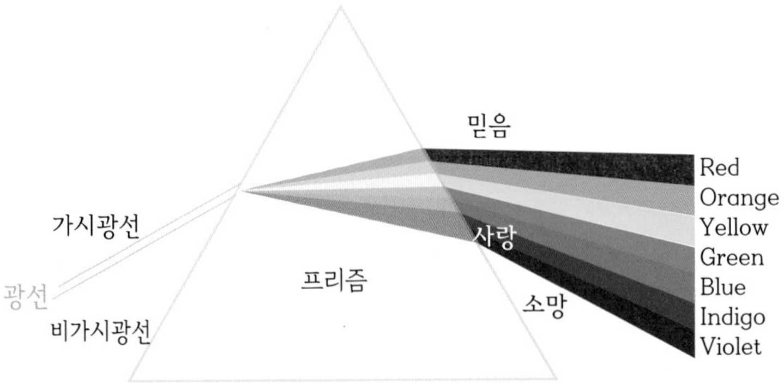

첫째가 가시적인 광선입니다. 즉 눈에 보이는 광선입니다. 둘째는 눈에 보이지 않는 광선이 있습니다. 이것을 비가시광선이라고 합니다. 그런데 이 광선을 프리즘 거울에 비추면 크게 삼원색이 보입니다. 빨강 · 노랑 · 파랑이 그것이지요. 삼원색이 간섭 현상(干涉現象)을 일으켜 우리가 볼 때는 7가지의 무지개 색으로 보입니다.

하지만 삼원색 외에도 또 다른 색이 있습니다. 그것은 자외선과 적외선입니다. 자외선이란 보라색(자주색) 다음에 있는 빛이란 뜻이고, 적외선은 빨간색 바깥(적외)에 있는 빛이라는 뜻입니다. 여러분들이 여름에 수영을 하러 해변에 가서 얼굴과 온몸에 바르는 것이 자외선 차단제인데, 우리는 그것을 선블럭 크림(sunblock creams)이라고 부르죠.

한편 적외선은 열을 가지고 있어서 몸을 따뜻하게 하고, 아픈 사람을 치료하는 힘도 있답니다. 어른들이 자주하는 원적외선이라는 말을 들어보셨죠. 이것은 파장이 가장 긴 영역의 적외선을 뜻합니다.

믿음의 삼원색

광선에 이렇게 눈에 보이는 삼원색이 있듯이 우리의 신앙 인격에도 삼원색이 존재한답니다. 성경은 신앙의 삼원색을 믿음·소망·사랑이라고 합니다. 이것을 한문으로 나타내면 '신망애(信望愛)' 입니다.

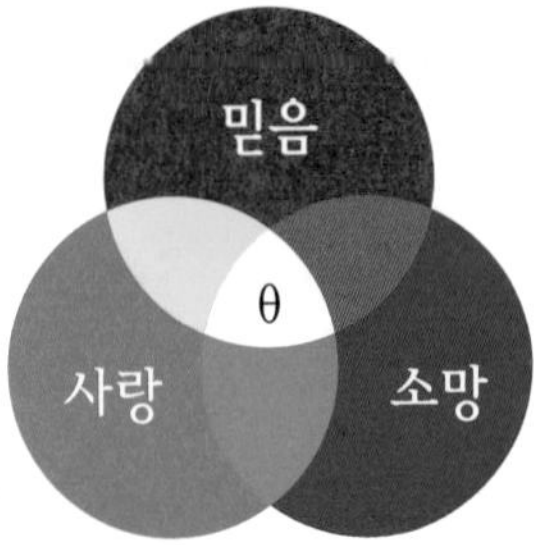

그리고 믿음·소망·사랑, 이 삼원색은 서로 간섭 현상을 일으켜 처음엔 7가지 색깔로 나타납니다. 그리고 자외선과 적외선으로 나타나 총 9가지 색이 있습니다. 그런데 성경은 은혜와 진리이신 예수님이 우리 마음에 오시면 우리에게 성령님이 오시고, 그 결과 9가지의 성령 열매가 맺힌다고 합니다.

믿음·소망·사랑의 신앙 삼원색이 갖추어진 사람은 33가지 성품이 나타나기 시작한답니다. 이 성품을 온전히 가질 때, 우리는 하나님의 아들 혹은 딸이라는 칭찬을 세상 사람들에게 듣게 된답니다.

사랑하는 독자 여러분! 다시 정리해 볼게요!

첫째, 예수님은 은혜와 진리의 충만으로 우리에게 하나님의 완전함을 보여주셨어요.

둘째, 은혜와 진리가 충만하신 예수님이 우리 마음에 들어오시면 우리에겐 신앙의 삼원색인 믿음·소망·사랑의 빛이 나타난답니다.

셋째, 믿음·소망·사랑의 삼원색이 우리 안에 나타나면 성령의 9가지 열매가 맺힌답니다.

결론입니다

옛말에 "원수는 돌에 새기지만, 은혜는 물에 새긴다."라는 말이 있습니다. 은혜를 쉽게 잊고 보답할 줄 모르는 인간의 본성을 통찰한 말입니다.

은혜를 바라고 찾는 이들은 많지만 받은 은혜를 기억하고 그 은혜에 합당하게 응답하는 사람은 매우 적습니다. 아이러니하게도 사람은 받은 은혜가 많고 클수록 더 쉽게 잊어버립니다. 눈은 너무 밝아도 보지 못한다고 합니다. X선이 눈에 보이지 않는 것도 너무 밝기 때문입니다. 귀도 소리가 너무 크면 못 듣습니다. 마찬가지로 은혜가 클수록 다 보지 못하고 다 이해하지 못합니다.

은혜를 온전히 깨닫지 못한 사람은 은혜를 헛되이 받을 뿐만 아니라 은혜를 이용해 죄를 범하기까지 합니다. 하나님은 은혜로 심판을 연기해 주셨건만, 사람은 심판이 없다고 착각하고 더욱 죄를 범합니다. 하나님이 은혜로 죄를 용서하셨건만, 사람은 죄를 고백하면 용서받는다고 생각해서 죄를 멈추지 않습니다.

그러면 어떻게 하는 것이 은혜를 기억하고 은혜에 합당하게 응답하는 것일까요? 죄를 떠나 진실하게, 거짓 없이 정직하게 사는 것입니다. 은혜에 합당한 반응은 진리입니다. 하나님의 은혜를 입은 자는 진리를 따라 살아가려 하고, 진실을 말하는 삶을 살게 됩니다. 우리가 하나님의 은혜 앞에 진실한 사람, 정직하고 거짓이 없는 삶으로 나아갈 때 하나님은 우리를 통해 수많은 사람을 구원하실 겁니다.

성령의 열매를 분류해 보면 대략 36가지의 성품(character)으로 설명할 수 있답니다. 말씀을 정리하겠습니다. 우리는 지금 하나님의 자녀로 살기 위해 하나님의 집, 예수님의 교회에서 하나님나라의 백성이 되기 위한 성품 교육을 받아야 합니다. 교회라는 말은 가르칠 교(敎)와 모일 회(會)의 조합입니다. 즉 교회는 천국 가는 날까지 성품의 변화를 위해 배우고 또 배우는 곳임을 여러분들은 잊지 마시기를 부탁드립니다.

하나님 아버지!

우리를 흙으로 지으시고 그 코에 하나님의 생기를 불어 넣어 주셔서 비록 몸은 비천한 짐승과 같으나 하나님의 형상을 닮게 하시니 감사합니다. 하나님이 우리를 선하게 만드셨지만 몸 때문에 연약하고 욕심 부리고 무서움에 떨며 죄를 짓고 자꾸 하나님을 떠나는 삶을 살았습니다. 이제는 주님 안에서 구원을 받고 구속함을 받았으니 하나님 아버지와 예수님의 성품을 회복하게 도와주시옵소서. 예수님의 이름으로 기도드립니다. 아멘!

인자와 진리
Merciful & Logos

(말씀 _ 2)

| 본문 잠언 3:1-5 |

내 아들아. 나의 법을 잊어버리지 말고 네 마음으로 나의 명령을 지키라.

그리하면 그것이 네가 장수하여 많은 해를 누리게 하며 평강을 더하게 하리라. 인자와 진리가 네게서 떠나지 말게 하고 그것을 네 목에 매며 네 마음판에 새기라. 그리하면 네가 하나님과 사람 앞에서 은총과 귀중히 여김을 받으리라. 너는 마음을 다하여 여호와를 신뢰하고 네 명철을 의지하지 말라.

외울 말씀

"인자와 진리가 네게서 떠나지 말게 하고 그것을 네 목에 매며 네 마음판에 새기라."(잠 3:3)

관련 동영상

유전물질 DNA의 증명과 이중나선구조

암에 걸리는 이유

DNA - 이중 나선 구조

우리는 지난 시간, 예수님을 증명하는 중요한 두 속성이 그 성품과 행동 속에 은혜와 진리가 충만해야 한다고 배웠습니다.

은혜와 진리는 솔로몬의 잠언에서 인자(仁慈)와 진리라고도 소개되어 있습니다. 은혜를 인자로 번역할 수도 있기 때문입니다. 그러므로 성경이 은혜와 진리라고 하든지, 인자와 진리라고 하든지 같은 뜻임을 기억해 두시기 바랍니다.

솔로몬은 잠언 3장에서 이렇게 말씀을 했어요.

> "인자와 진리가 네게서 떠나지 말게 하고 그것을 네 목에 매며 네 마음판에 새기라 그리하면 네가 하나님과 사람 앞에서 은총과 귀중히 여김을 받으리라."(잠언 3:3-4)

사람을 사람답게 만드는 가치의 가장 핵심은 인자와 진리입니다. 그리고 은혜와 진리라고도 말할 수 있습니다. 이 두 가지는 이중 나선 구조로서 끝없이 확장해 나가 참으로 다양한 아름다운 인격을 만들어낸답니다.

여러분! 혹시 이중 나선 구조란 말 들어보셨나요?

우리의 몸을 구성하는 가장 기본적인 정보의 단위가 여러분도

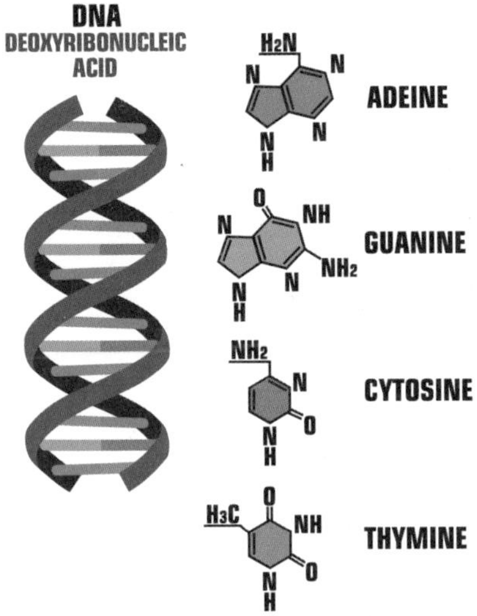

DNA 1g에는 염기(A, T, G, C)가 1.021개 들어 있다.

알고 있다시피 DNA인데, 그 뜻은 '데옥시리보 핵산'의 줄임말입니다. 이는 핵산의 일종이며, 주로 세포의 핵 안에서 생물의 유전 정보를 저장하는 물질입니다. 한 마디로 생물의 정보 저장 장치라고 할 수 있죠. 이들은 핵염기에 의해 구분되는 네 종류의 뉴클레오타이드가 서로 결합되면서 이중 나선 구조를 이룹니다.

좀 어렵나요?

다음의 이야기를 통해 좀 더 쉽게 설명해 볼께요!

몇 년 전 미국의 유명한 경제 잡지 《포브스》는 '대변혁'이라는 주제로 특집기사를 보도했답니다. 특집기사의 결론은 1950년 이후 세상을 변화시킨 15인 중 가장 특이한 두 분은 프랜시스 크릭

크릭과 왓슨

과 제임스 왓슨이라는 겁니다. 이 두 사람은 1953년에 DNA*의 이중 나선 구조를 발견했습니다. 그들이 발견한 DNA의 이중 나선 구조는 과학의 역사 중에서 가장 눈부신 업적 중 하나로 기록됐기 때문입니다. 이 둘은 그 공로로 생리화학 부문의 노벨상을 수상하기도 했습니다.

당시 신문은 이렇게 장식을 했습니다.

"인간이 달에 착륙한 것과 맞먹을 정도의 역사적 사건이 일어났다."

이야기의 대략은 이렇습니다.

1953년 2월 어느 저녁이었습니다. 크릭은 영국의 케임브리지의 한 식당에 들어서면서 이렇게 소리 질렀습니다.

"우리가 생명의 비밀을 찾았소!"

* DNA : 디옥시리보 핵산(Deoxyribo Nucleic Acid)의 약칭.

"이게 무슨 말일까? 생명의 비밀이라니?"

하지만 얼마 후 많은 동료들이 정말 그 말은 결단코 과장이 아님을 깨닫기 시작했습니다. 도대체 뭘 발견한 걸까요? 뭐길래 그토록 호들갑을 떨면서 마치 자신들이 하나님이라도 된 듯이 소리를 질렀을까요?

오랜 시간 연구에 연구를 거듭한 둘은 우리 인류의 가장 비밀이었던 유전에 대한 비밀을 발견한 것이었어요.

이중 나선 구조

인류 최대의 비밀인 유전에 대한 비밀을 밝혀낸 사건의 핵심은 DNA는 스스로 자체적으로 생명의 정보를 저장하여 후손에게 물려주고, 또 스스로 복사하여 복제할 수 있다는 사실이었습니다. 더 중요한 사실은 그들 때문에 인류가 한 명의 아담으로부터 생명의 기원이 시작됐다는 것을 밝혀낼 수도 있었기 때문입니다.

처음 크릭은 DNA와 단백질이 저절로 합성되기에는 구조가 너무 복잡해서 지구가 아닌 곳에서 만들어져 지구로 보내졌다고 주장했지만, 성경은 그렇게 말하고 있지 않습니다. 인간의 유전자는 너무 정교하고 복잡해서 하나님이 만든 것임이 분명하다고 많은 학자들이 주장했습니다.

자! 그러면 본론으로 들어가서 왜 DNA가 그렇게 중요할까요? 그것은 생명의 정보를 담고 있는 하드웨어와 같기 때문입니다. 이 때문에 DNA를 통해 모든 생명의 근원을 추적해 볼 수 있습니다.

성경의 창세기 3장 20절을 보면 이렇게 기록이 되어 있습니다.

"아담이 그 여자의 이름을 하와라 했으니 하와는 모든 산 자의 어미가 됐음이더라."

성경은 모든 인류가 처음에는 단 한 명의 어머니로부터 나왔다는 것을 가르쳐주고 있습니다. 이러한 성경의 기록이 사실임은 바로 DNA의 이중 나선 구조가 밝혀진 연구 덕분입니다.

세포를 확대해 보면 핵이 있고 그 안에 미토콘드리아가 보입니다. 미토콘드리아는 외부의 미생물이 세포 속으로 침투하여 공생하기 시작한 것으로 핵 외의 자기 증식계이고 에너지를 만들어 냅니다. 바로 이 하와의 모계(母系)를 통해 전해지는 미토콘드리아 속에 고유의 DNA가 존재하고, 또 고유의 단백질 합성계가 존재합니다.

이중 나선의 등뼈는 인산과 당이고, 나선 안쪽에는 4가지 염기(아데닌, 구아닌, 시토신, 티민)가 달려 있습니다. 이 염기의 순서가 바로 생명체의 유전 정보입니다. 한쪽 가닥에 달린 염기가 다른 쪽 가닥에서 나온 염기와 수소 결합을 통해 손을 잡듯 결합합니다. 이것을 염기쌍이라고 합니다.

DNA 1g에는 염기(A, T, G, C)가 1,021개 들어 있습니다. 이를

메모리로 환산하면 10억 테라비트(Tb, 1Tb=1012b)에 해당하는 엄청난 정보량입니다. 생명에 대한 모든 정보는 DNA 속에 담겨 있습니다. DNA가 모여서 유전자를 만들고, 이 유전자가 우리 몸속에서 필요한 명령을 내리기 때문에 매우 중요합니다.

인격을 만드는 이중 나선 구조

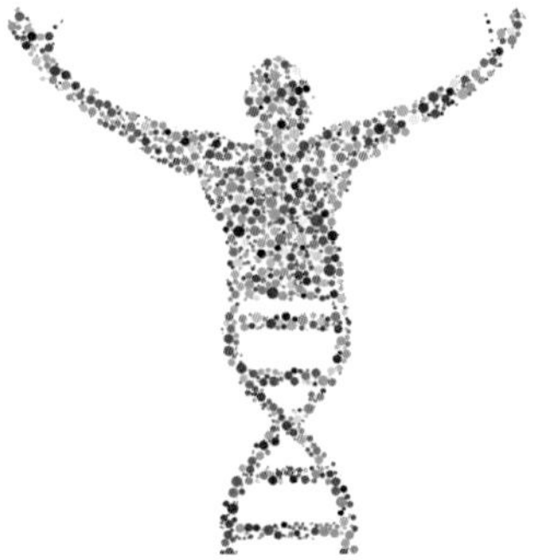

사람의 인격(人格)이 곧 능력이라고 믿습니다. 인격을 영어로는 캐릭터(character)라고 합니다. 인격이란 물건으로 치면 명품을 구성하는 요소라고 설명할 수 있습니다. 소설이나 영화에서 주인공이나 조연들의 캐릭터가 보는 이들에게 영향을 끼치듯이 여러분들의 캐릭터가 이 세상에 영향을 끼치는 것입니다.

그럼 참된 스타가 되는 캐릭터의 구성 요소는 무엇일까요? 그것은 인자와 진리, 즉 은혜와 진리로부터 나오는 신앙의 삼원색, 믿음과 소망과 사랑입니다. 은혜와 진리는 예수님의 형상을 회복하고 신앙의 인격을 구성하는 이중 나선 구조와 같은 것입니다. 그리고 여기서 나오는 수소 결합이 마치 삼원색의 물감이 풀어져

서로 엉겨 붙어 수많은 컬러를 만들어 내듯이 사람의 성격을 만들어내게 됩니다.

악마(마귀)의 인격

그러면 DNA의 명령 정보대로 행하지 않고, 오류가 생겨나면 어떻게 될까요?

인자(은혜)의 반대어는 무자비함입니다. 그리고 진리(정의)의 반대어는 거짓과 무질서입니다. 여기서 가장 먼저 나오는 것이 욕심이고, 조금 더 진전되면 미움과 살인입니다.

사랑하는 여러분!

일생을 살면서 인자와 진리의 길로 가시겠습니까? 아니면 무자비와 불법의 길로 가시겠습니까? 모든 길에는 끝이 있습니다.

성경은 말씀합니다.

"진리를 믿지 않고 불의를 좋아하는 모든 자들로 하여금 심판을 받게 하려 하심이라."(살후 2:12)

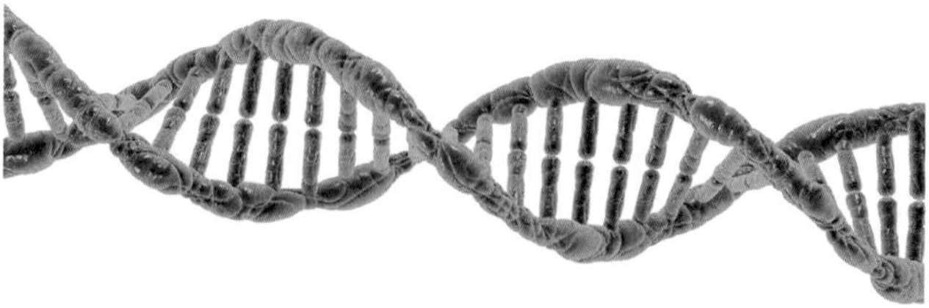

진리를 버리거나 불의와 불법을 선택하면 마지막 날에 하나님이 행한 모든 일에 대하여 심판하시고 영원한 벌을 주신다고 선언하고 있습니다. 하나님의 말씀은 한 글자, 한 점도 변함이 없기 때문에 반드시 심판이 있음을 알아야 합니다.

믿음의 반대인 불신과, 소망의 반대인 절망과, 사랑의 반대인 미움이라는 반대의 요소들로 살면서 이것들이 내 마음 안에서 서로 얽히면 결국은 악의 성격(캐릭터)이 강해집니다. 그 결과 자신의 의도하든 아니 하든 세상을 파괴하고 엉망으로 만들게 됩니다.

사랑하는 여러분!

잠시 책과 일을 내려 놓고 창가로 가서 창밖의 세상을 봅시다. 세상은 총천연색으로 예쁘게 칠해져 있습니다. 참 아름답지 않습니까? 세상이 이렇게 예쁜 색들을 갖고 있는 건 다 빛이 있기 때문입니다.

사람의 눈은 약 14만 4천 가지의 색을 구분할 수 있습니다. 이렇게 세 가지 색이 합쳐져서 다채롭고 아름다운 세상을 만들 듯, 인격도 믿음 · 소망 · 사랑이 합쳐져야 더욱 깊이 있고 성숙해질 수 있습니다.

사람들의 캐릭터는 거의 대부분이 사춘기 때 결정됩니다. 그래서 사춘기의 가치관은 평생을 가는 법입니다. 하지만 신앙을 가지면 늦더라도 아름답고 좋은 인격 · 성품을 가진 사람이 될 수 있습니다. 아름다운 신앙의 인격을 갖추고 좋은 성품을 드러내면 하늘의 별과 같이 빛난다고 성경은 말씀합니다. 말 그대로 스타이지요.

결론입니다

은혜와 진리! 믿음·소망·사랑의 조합

하나님과 예수님은 완벽한 성품을 가지고 계십니다. 그것을 크게 나누어 보면 은혜라는 성품과 진리라는 성품입니다. 그런데 이 두 가지 성품이 만나 조합을 만들면 일단 믿음 · 소망 · 사랑이라는 3가지 현상이 나타납니다.

그리고 믿음 · 소망 · 사랑은 36가지의 인격적 모습을 드러냅니다. 성경은 그것을 성령의 열매라고 이야기합니다.

사랑하는 여러분!

밤하늘을 본 적 있나요? 그렇다면 밤하늘에 총총 박힌 별들도 보았을 겁니다. 밤하늘에 빛나는 별은 보석처럼 예쁘게 보이지만, 알고 보면 그 내부에는 모두 엄청 뜨거운 그 무언가를 품고 있답니다. 우리가 아는 태양보다 더 큰 경우도 많습니다. 그래서 그렇게 밝고 환하게 빛날 수 있는 겁니다. 가슴이 텅 비어 있거나 얼음처럼 차갑다면 결코 빛날 수가 없어요. 그러고 보니 갑자기 궁금해집니다. 이 말씀을 듣고 있는 여러분은 지금 가슴속에 무엇을 품고 있나요?

어마어마하게 많은 밤하늘의 별! 은하 하나에만 약 천억 개의 별이 있다고 합니다. 성경에는 빛을 내는 별과 같이 되는 방법이 아주 자세하고 구체적으로 씌어 있습니다. 다니엘서 12장 3절을 보면 "많은 사람들을 옳은 데로 돌아오게 하는 사람은 하늘의 별과 같이 빛난다"라는 구절입니다. 성경에서 말한 별과 같이 빛나는 사람이란 요즘 말로 하면 스타입니다.

그러면 누가 진짜 스타가 될까요? 머리 좋은 사람일까요? 아니면 예술가? 연예인? 물론 그들도 스타는 스타입니다.

그러나 오래도록 영원히 빛나는 진짜 스타는 이 세상과 인류에게 복음으로 믿음과 희망과 사랑을 주는 사람입니다. 영원히 빛나는 스타는 가슴속에 굳건한 믿음으로 은혜와 진리를 갈망하는 믿음과 소망과 뜨거운 사랑을 품고 있답니다.

꼭 기억하시기 바랍니다. 앞으로는 어떤 실력보다 성품, 즉 인격이 좋은 사람이 세상에서 주인이 되고 하나님의 대리자가 됩니다. 은혜와 진리의 성품으로 예수님을 닮아 하나님의 대리자가 되어 세상을 다스리는 일꾼이 되기를 진심으로 기도합니다.

기도

하나님 아버지.

하나님께서 이 세상을 말씀으로 창조하실 때 은혜와 진리로 창조하심을 감사합니다. 그렇기 때문에 모든 사람이 은혜와 진리를 따르는 삶을 살면 땅에서 잘 되고 장수하며 하나님의 보호 속에 살아갈 줄 믿습니다. 우리 평생에 은혜와 진리를 떠나지 않게 하시고 주야로 말씀을 통해 은혜와 진리를 경험하고 실천하며 살게 하여 주옵소서.

예수님의 이름으로 기도드립니다. 아멘

인격을 만드는 은혜의 힘

Power of grace to make personality

(말씀 _ 3)

| 본문 요 1:12-16 |

영접하는 자 곧 그 이름을 믿는 자들에게는 하나님의 자녀가 되는 권세를 주셨으니 이는 혈통으로나 육정으로나 사람의 뜻으로 나지 아니하고 오직 하나님께로부터 난 자들이니라 말씀이 육신이 되어 우리 가운데 거하시매 우리가 그의 영광을 보니 아버지의 독생자의 영광이요 은혜와 진리가 충만하더라. 요한이 그에 대하여 증언하여 외쳐 이르되 내가 전에 말하기를 내 뒤에 오시는 이가 나보다 앞선 것은 나보다 먼저 계심이라 한 것이 이 사람을 가리킴이라 하니라 우리가 다 그의 충만한 데서 받으니 은혜 위에 은혜러라.

외울 말씀

"영접하는 자 곧 그 이름을 믿는 자들에게는 하나님의 자녀가 되는 권세를 주셨으니 이는 혈통으로나 육정으로나 사람의 뜻으로 나지 아니하고 오직 하나님께로부터 난 자들이니라."(요 1:12-13)

관련 동영상

은혜

오드리 햅번

긴급 구호

전쟁터에서 흔히 볼 수 있는 한 불우한 소녀가 있었습니다. 원래 너무 가난했던 그 소녀는 급작스럽게 불어 닥친 재난 탓에 굶어 죽기 직전이었습니다. 겨우 이웃에게 발견돼 목숨을 건졌습니다. 설상가상으로 제2차 세계 대전이 터졌습니다! 그러니 더더욱 굶주림에 허덕여야 했습니다. 정말 며칠만 더 굶었더라면 우리는 그녀를 영원히 기억하지 못하였을 겁니다.

그때였어요! 한 구호단체가 긴급재난을 위한 구호 지역에 파견되었어요. 그리고 아무 조건 없이 마을에 구호품을 전달했는데, 그녀에게도 구호품이 전달되었습니다.

어떤 단체가 그녀에게 아무런 조건이 없이 구호품을 전달했을까요?

이름 없는 한 소녀를 죽음에서 건져낸 구호단체의 이름은 국제연합아동구호기금(UNICEF)이었어요. 요즘도 TV에 영화배우 안성기 씨가 홍보대사로 나와 광고하는 바로 그 구호단체죠!

그 소녀는 그 단체에서 주는 구호 빵을 먹으며 위기를 극복하며 겨우 목숨을 연명하였습니다. 목숨을 건질 정도의 적은 양이었지만 그녀에게는 일평생 감사할 은혜였습니다. 그리고 어렵게 공부를 마치고 미국으로 건너가 나중에 세계적인 영화배우가 됐습니다. 그 소녀의 이름은 영화의 역사에도 빛나는 오드리 헵번(Audrey Hepburn)이라는 배우였습니다. 20세기 스타 중의 스타였습니다.

오드리 헵번은 1929년 생입니다. 지금 살아 있다면 90살이 넘었을 겁니다. 그녀는 작고 가냘픈 몸이었지만 그 몸도 지탱할만한 먹을 것이 없었습니다. 하지만 조건 없는 사랑, 어린아이나 여자들은 무엇보다 먼저 구호하여야 된다는 철학으로 재난 지역에 구호품을 전달하는 유니세프는 이 아이가 살아갈 수 있는 최소한의 사랑을 전달했습니다. 하지만 위급할 때의 그 작은 사랑 때문에 그녀는 배우로 성장할 수 있는 기회를 얻었습니다. 많은 고난은 있었지만 결국 인기를 얻어 가장 뛰어난 배우로 활동하게 되었습니다. 그리고 나이가 들어 은퇴를 하였답니다.

은퇴 후 그녀는 벌어 놓은 많은 돈으로 인생을 즐기며 살 수 있었어요. 하지만 곧장 비행기를 타고 아프리카로 날아갔습니다. 그리고 유니세프의 친선 홍보대사가 되었습니다. 단순히 홍보대사 역할만 한 것이 아니라 현장에서 난민 구호 사업가로 맹활약을 하였답니다. 그러다가 1993년 65세 나이로 그만 하늘나라로 가고 말았습니다.

키 173.7cm, 49kg의 몸무게, 20inch의 가는 허리를 65세까

지도 유지할 수 있었던 비결은 어릴 적 가난 때문이었다고 말했어요. 유니세프를 통해 뜨거운 아프리카의 태양 아래에서 봉사 활동을 하면서 아름답던 그녀의 얼굴에는 주름살이 생기고, 늙어갔지만 누구도 이 여배우의 모습이 초라하다고 생각하지 않았답니다. 오히려 전성기보다 더욱 더 빛나보였습니다.

1992년 소말리아에서의 그녀를 보고 많은 사람들은 감동을 받았고, 그녀의 홍보 덕분에 도움의 손길도 증가하였습니다. 그러나 같은 해 그녀의 몸에서 대장암이 발견되었고, 1993년 1월 20일 스위스에서 하나님의 부름을 받았어요. 그녀는 소말리아에서 진정한 사랑을 발견했다고 고백했답니다.

그녀가 마지막 남긴 말이 너무 유명해요.

"절망의 늪에서 나를 구해준 것은 많은 사람들의 은혜였습니다. 이제 내가 그들에게 작은 은혜를 베풀 차례입니다."

은혜

'은혜'(창 6:8)란 단어의 히브리어 원어는 '헨'입니다. 이 '헨'의 뜻은 하나님께서 경건한 자(시 4:3)와 고생하는 자(시 6:2)를 지켜 주시고 인도해 주시는 사랑 · 은총 · 긍휼 등을 의미합니다(창 30:27, 출 33:12).

신약성경에서 은혜라는 단어는 헬라어로 '카리스(charis)'입니다. 그 뜻은 '베푼 사람으로부터 보상이나 호의를 기대하지 않는 관대한 포용'입니다. 그 후 '선물'이라는 의미로 바뀌면서 하나님의 '구원의 선물'이란 뜻이 되었습니다. 은혜는 긍휼보다 더 뛰어난 사랑의 표현이라고 할 수 있습니다.

은혜가 왜 중요하냐면 하나님을 증명하는 가장 큰 비밀은 '하나님은 은혜가 충만하신 분'이기 때문입니다. 그런데 하나님의 은혜가 이 세상에 나타났다고 성경이 증언하고 있는 것입니다. 그 은혜를 예수님의 제자 요한은 자신이 쓴 요한복음 1:14절에서 "육신을 입고 오신 예수님"이라고 선포하였습니다. 15절에 기록되어 있는 것처럼 그 사람은 예수님을 가리키는데, 예수님은 "은혜 위의 은혜"라고 불리우는 분이십니다.

은혜가 은혜를 낳습니다

《인생 최대의 갈망》이라는 책에 나오는 이야기입니다. 오래 전에 이름을 밝히지 않은 사람이 고아원에 찾아와 이렇게 물었습니다.

"어느 누구에게도 입양을 원하지 않는 아이가 있습니까?"

그 물음에 원장은 망설이지 않고 대답했습니다.

"네, 있어요. 열 살짜리 여자아이인데 매우 흉한 꼽추예요. 단지 이름만은 좋아서 머시 굿페이스(Merch Goodfaith : 훌륭한 믿음의 은혜라는 뜻)이지요."

"아! 네! 저는 바로 그런 아이를 찾고 있었습니다."

그 사람은 이렇게 대답하고서 그 아이와 함께 떠났습니다.

35년이 지난 후, 아이오와 주 고아원 감사실의 실장은 한 고아원에 대해서 다음과 같은 보고서를 작성했습니다.

"이 가정은 매우 특별한 곳인데 깨끗하고, 음식도 훌륭하며, 특히 그곳 원장은 사랑이 넘쳐흐르는 영혼을 가진 사람이다. 이곳에 수용된 어린이는 모두 잘 보살펴지고 있으며, 원장은 풍부

한 사랑으로 아이들에게 좋은 영향을 주고 있다. 그들이 저녁식사 후에 피아노 앞에 모여 섰을 때 나는 다른 곳에서는 느낄 수 없었던 분위기를 느꼈다. 나는 결코 그 원장의 눈과 같은 아름다운 눈을 본 적이 없다. 그들은 내가 그 원장의 얼굴이 보기 흉하고 꼽추라는 사실을 잊고 있는 데 놀라워했다. 그 원장의 이름은 머시 굿페이스이다."

어떤 이름도 알 수 없는 사람이 추하고 보기 흉한 고아를 보살펴주기 위해 입양을 했습니다. 그리고 머시는 그 사랑과 은혜에 힘입어 대학에서 사회복지학을 공부한 후 다시 고아원을 맡는 원장이 되었습니다.

이처럼 은혜는 은혜를 낳고, 사랑은 사랑을 낳습니다.

사랑하는 여러분!

여러분은 은혜의 사람입니까? 남에게 사랑을 주기에 충분한 사람입니까?

결론입니다

하나님은 세상을 이처럼 사랑하십니다. '이처럼'이란 '이만큼이나' 란 뜻입니다. 이만큼이란 예수님을 보내어 주시고 그분을 십자가의 희생제물로 주실 만큼이나 사랑하셨다는 뜻입니다. 우리의 모든 죄는 십자가에서 희생된 예수님의 공로로 말미암아 모두 해결되었다는 것을 알아야 합니다. 그것이 하나님의 은혜라는 것입니다. 하나님은 원래부터 우리를 은혜로 창조하셨지만, 다시 한 번 십자가의 은혜를 통해 구속하여 값을 주고 사신 것이 되었습니다.

오늘 하나님의 은혜를 통하여 구속함을 깨달은 성도들은 그 삶이 찬란하게 변하는데, 그것이 바로 은혜를 받는 삶에서 은혜를 베풀 줄 아는 삶이 되는 것입니다. 삶의 기초는 은혜와 진리입니다. 하나님은 진리의 법을 세우기 위해 은혜의 십자가를 주셨음을 꼭 기억하고 믿으시기를 바랍니다.

하나님 아버지!

우리를 은혜와 진리로 창조하시고 생명과 영생을 주심을 감사드립니다. 우리가 원죄를 지어 하나님을 영 떠났음에도 불구하고 약속대로 예수님을 보내어 주시고, 십자가로 우리를 구속하여 하나님의 자녀로 다시 삼아 주시니 감사드립니다. 우리를 이처럼 사랑하여 하나님의 은혜 속에 들어오게 하셨으니 이제 우리의 남은 삶은 은혜를 실천하고 베풀며 살게 하여 주옵소서.

예수님의 이름으로 기도드립니다. 아멘!

Time Tested Beauty Tips
시간이 일러주는 아름다움의 비결

For attractive lips, speak words of kindness.
매혹적인 입술을 가지고 싶다면 친절한 말을 하라.

For lovely eyes, seek out the good in people.
사랑스런 눈을 가지고 싶다면 사람들의 선한 점을 보아라.

For a slim figure, share your food with the hungry.
날씬한 몸매를 가지고 싶다면 그대의 음식을 배고픈 자와 나누어라.

For beautiful hair, let a child run his fingers through it once a day.
예쁜 머릿결을 가지고 싶다면 하루에 한 번, 어린이가 그 손가락으로 그대의 머리카락을 쓰다듬게 하라.

For poise, walk with the knowledge you'll never walk alone...
아름다운 자세를 가지고 싶다면 결코 그대 혼자 걸어가는 것이 아님을 알도록 하라.

People, even more than things, have to be restored, renewed, revived, reclaimed and redeemed and redeemed ...
재산보다는 사람들이야말로 회복되어야 하고, 새로워져야 하며, 활기를 얻고, 깨우쳐지고, 구원받고 또 구원받아야 한다.

Never throw out anybody. Remember, if you ever need a helping hand, you'll find one at the end of your arm.
누구도 내버리지 말라. 이 사실을 기억하라, 도움의 손길이 필요할 때 그대는 그것을 자신의 손 끝에서 찾을 수 있으리라.

As you grow older you will discover that you have two hands.
One for helping yourself, the other for helping others.
나이가 들어감에 따라 그대는 손이 두 개인 이유가
하나는 자신을 돕기 위해서, 하나는 다른 이를 돕기 위해서임을 알게 되리라.

오드리 헵번의 유언이라는 유언비어가 붙어 다니는 글로, 사실은 헵번이 좋아했던 시입니다. 이 시는 시인 샘 레벤슨(Sam Levenson)의 작품입니다.

무조건적 사랑

Grace - Unconditional love

(말씀 _ 4)

본문 롬 11:1-6

그러므로 내가 말하노니 하나님이 자기 백성을 버리셨느냐 그럴 수 없느니라 나도 이스라엘인이요 아브라함의 씨에서 난 자요 베냐민 지파라.

하나님이 그 미리 아신 자기 백성을 버리지 아니하셨나니 너희가 성경이 엘리야를 가리켜 말한 것을 알지 못하느냐 그가 이스라엘을 하나님께 고발하되 주여 그들이 주의 선지자들을 죽였으며 주의 제단들을 헐어 버렸고 나만 남았는데 내 목숨도 찾나이다 하니 그에게 하신 대답이 무엇이냐 내가 나를 위하여 바알에게 무릎을 꿇지 아니한 사람 칠천 명을 남겨 두었다 하셨으니 그런즉 이와 같이 지금도 은혜로 택하심을 따라 남은 자가 있느니라 만일 은혜로 된 것이면 행위로 말미암지 않음이니 그렇지 않으면 은혜가 은혜 되지 못하느니라.

외울 말씀

"만일 은혜로 된 것이면 행위로 말미암지 않음이니 그렇지 않으면 은혜가 은혜 되지 못하느니라."(롬 11:6)

관련 동영상

엘리자베스 1세

자비의힘

진정한 용서는 대가가 없는 것

엘리자베스 1세 여왕

16세기 영국의 위대한 여왕 엘리자베스 1세 시절이었습니다. 엘리자베스 여왕이 왕위에 오를 때, 영국은 후진국이었습니다. 하지만 그녀가 정치를 잘한 몇십 년 후 영국은 제국을 이룰 만큼 강국이 되었습니다. 하지만 열심히 하는 만큼 그녀를 싫어하는 반대파들도 많았습니다.

그러던 어느 날이었습니다. 어둔 밤을 틈타 여왕을 암살하려던 여인이 있었습니다. 그 여인은 궁정의 시종으로 변장하고 여왕의 침실에 숨어들었습니다. 그리고 때가 오면 찌르려고 예리한 칼을 품었습니다. 그러나 여왕의 심복들은 어수룩하지 않았습니다.

언제나처럼 여왕이 침실에 들어오기 전 먼저 침실을 수색했습니다. 그런데 옷장에 숨어 있던 암살자를 발견하게 된답니다. 옷장에서 끌려나온 여인은 여왕 앞에 무릎을 꿇리었습니다. 암살자의 등은 창 자루로 무자비하게 눌리고 있었습니다.

여인은 떨며 이렇게 말했습니다.

"주상! 자비를 베푸소서!"

"자비?"

"잘못했사오니 용서해 주시옵소서!?"

노한 여왕은 잠시 멈칫 하다가 물었습니다.

"자비? 내가 너에게 자비를 베풀면 너는 내게 무엇을 대가로 주겠느냐?"

그러자 암살하려던 여인은 여왕을 우러러보며 대답합니다.

"조건을 다는 은혜는 은혜가 아닙니다."

여왕은 잠시 생각에 잠겼습니다. 그리고 말했습니다.

"네가 옳다. 나는 너를 내 은혜로 용서한다."

결국 여인은 자유의 몸이 되었습니다. 그리고 궁정에서 일하게 되었습니다. 그런데 그 후 이 여인만큼 무조건적으로 여왕에게 헌신한 사람은 없었습니다. 이것은 역사적인 사실입니다. 여왕을 죽이려던 여인은 기꺼이 자기의 목숨을 버리면서 여왕을 도왔습니다.

조건 없는 사랑, '은혜'

하나님의 은혜가 바로 이런 개념입니다. 은혜 혹은 자비란 조건이 없는 사랑입니다. 하나님은 이처럼 은혜로우시고 자비하시

9월 7일, 1533년

영국 여왕 엘리자베스 1세 출생

1533년 9월 7일 영국의 르네상스로 불리는 황금 시대를 이끈 여왕 엘리자베스 1세가 태어났다. 튜더 왕가의 헨리 8세와 두 번째 왕비 앤 불린 사이에서 태어난 그녀는 궁정 내 세력 다툼으로 왕위계승권이 박탈되기도 하고, 반란 가담 혐의로 런던탑에 갇히기도 했다.

그러나 전대 여왕인 메리 1세가 죽은 후 25세로 즉위한 여왕은 처녀여왕으로 70세에 사망할 때까지 영국이 유럽의 강대국으로 발돋움하는 발판을 만들었다.

고 영원무궁하십니다. 하나님이 세상을 창조하신 것은 이러한 자비와 은혜 때문입니다. 그래서 세상을 이처럼 사랑하사 우리에게 독생자 예수님을 보내신 겁니다.

참된 용서는 아무 조건이 없어야 합니다. 용서는 거저 주는 것이고, 은혜는 엄청난 것이랍니다. 하나님이 우리를 사랑하셔서 죄의 벌에서 구원하여 하나님의 자녀가 되게 하시는 것은 조건이 없는 사랑 때문입니다. 그 사랑을 성경은 은혜라고 말씀합니다.

로마서 11:5-6에서 보니 "그런즉 이와 같이 지금도 은혜로 택하심을 따라 남은 자가 있느니라 만일 은혜로 된 것이면 행위로 말미암지 않음이니 그렇지 않으면 은혜가 은혜 되지 못하느니라."

여기서 중요한 것은 은혜로 우리가 하나님의 자녀가 되고 구원을 받는 것이라면 행위, 즉 착한 행실이나 조건이 아무런 필요가 없단 뜻이 됩니다.

은혜는 전염성이 있다

은혜는 또 다른 은혜를 만드는 전염성이 있습니다. 이런 이야기가 있습니다. 한 번 들어 보세요. 중국 송 태종이 어느 날 궁정의 정원을 거닐다가 갑자기 날아든 벌에 얼굴을 쏘였습니다.

"아야!"

"황상! 죽여주시옵소서! 저희들이 막지 못한 죄 때문입니다"

"죽을죄를 지었습니다."

조정의 아부파들이 야단이 났습니다.

"황상! 이는 대역에 버금가는 죄입니다."

"황상~! 벌은 기어코 잡아내어 사형에 처하시옵고, 황상의 뒤에서 부채질을 하던 시녀에게는 벌을 쫓지 못한 죄로 출궁형을 내리시기를 구하나이다."

벌 한 마리 때문에 궁중 안에서 코미디가 벌어졌습니다. 이를 전해들은 태종은 잠시 동안 생각을 하다가 이렇게 말했습니다.

"양쪽을 모두 용서하여라. 지각 없는 벌에게 형벌을 내린들 무슨 소용이 있겠느냐? 또 용안(龍顔 ; 임금의 얼굴)에 벌이 앉았다고 어떻게 시녀가 임금의 얼굴을 때려 벌을 쫓을 수 있겠느냐? 모두를 이해하거라!"

결국 송 태종의 자비로운 판결로 많은 사람들이 위기를 모면했습니다. 이 일로 인해 후일 사람들은 태종을 더욱 존경하며 따랐습니다. 그리고 더 중요한 것은 왕의 은혜를 입은 신하들은 그 성품을 닮아 다른 사람의 잘못에 대해서도 서로서로 자비와 은혜로 도왔다고 합니다. 덕분에 태종의 치세로 말미암아 송나라는 중국 역사상 가장 문화가 발달하게 되었습니다. 그리고 멀리 유럽에까지 그 세력을 떨치게 되었습니다.

최고의 선물

영국의 존경받는 정치인이자 유명한 작가였던 벨푸어는 "가장 좋은 선물"이라는 다음의 글을 썼습니다.

"그대의 원수에게는 용서를 주는 것이, 그대를 반대하는 사람에게는 관용을 보이는 것이, 그대의 친구에게는 자신의 모든 마음을 알리는 것이 가장 좋은 선물이다. 그대의 아버지에게는 섬기는 마음을, 그대의 어머니에게는 자신의 잘한 일을 알리는 것, 그대 자신에게는 존경과 애정을 주는 것이 가장 좋은 선물이다. 모든 사람에게는 자비와 인자함을 보이는 것, 그것이 모두에게 줄 수 있는 가장 좋은 선물이다."

그리고 우리가 주님에게 드릴 수 있는 가장 좋은 선물은 바로 우리의 마음을 드리는 것입니다.

복수보다도 용서를, 비난보다도 사랑을 주는 사람이 되십시오. 그것이 주님이 우리에게 바라는 것입니다. 주님을 향한 정결한 마음을 주님께 드리십시오.

결론입니다

은혜와 자비는 세상을 아름답게 만드는 힘이지만, 사람들은 은혜와 자비보다는 힘과 능력으로 지배하고자 하는 마음이 더 많습니다. 힘과 능력으로 지배하는 세상은 동물들의 세상입니다. 그것을 약육강식(弱肉强食)이란 말로 표현합니다. 즉 힘센 맹수가 약한 짐승을 잡아먹고 다스린다는 뜻이지요. 하나님은 세상이 은혜와 자비로 다스려지기를 원하신답니다.

이 세상에 궁극적인 평화가 오려면 하나님을 믿는 백성들이 하나님의 도를 실천하는 삶을 모범적으로 살아야 합니다. 하나님의 도는 십자가의 도입니다. 십자가의 도는 은혜와 진리의 도입니다. 은혜와 진리의 도가 멸망을 받는 자들에겐 미련하게 보이지만, 구원을 얻는 자들에겐 하나님의 능력입니다. 그러므로 로마서 12장 1절 이하에 말씀하시는 것처럼, 우리는 은혜와 진리로 몸과 마음을 변화시켜 하나님의 선하시고 기뻐하시는 뜻으로 살아야 합니다. 즉 늘 산제사(하나님께 헌신하며 섬기는 일)를 드리며 살아야 합니다.

하나님 아버지!

아버지께서 이 세상을 창조하실 때, 말씀으로 창조하셨습니다. 하나님 아버지의 말씀은 은혜와 진리이십니다. 하나님의 은혜와 진리만이 오늘도 우리를 하나님의 자녀로 형상을 회복하게 하고 예수님의 성품을 닮아가게 하십니다. 간구하오니 사는 날 동안 주의 형상을 모두 회복하게 도와 주옵소서. 항상 인자와 진리, 은혜와 진리, 자비와 공의(公義)를 목걸이처럼 걸고 살게 하여 주옵소서. 누가 보아도 하나님의 자녀로 알도록 제 삶을 변화시켜 주옵소서.

예수님의 이름으로 기도드립니다. 아멘!

인격을 세우는 진리

Truth to build a personality

(말씀 _ 5)

| 시 119:156-160 |

여호와여 주의 긍휼이 많으오니 주의 규례들에 따라 나를 살리소서 나를 핍박하는 자들과 나의 대적들이 많으나 나는 주의 증거들에서 떠나지 아니하였나이다 주의 말씀을 지키지 아니하는 거짓된 자들을 내가 보고 슬퍼하였나이다. 내가 주의 법도들을 사랑함을 보옵소서. 여호와여 주의 인자하심을 따라 나를 살리소서. 주의 말씀의 강령은 진리이오니 주의 의로운 모든 규례들은 영원하리이다.

외울 말씀

"주의 말씀의 강령은 진리이오니 주의 의로운 모든 규례들은 영원하리이다." (시 119:160)

관련 동영상

루터

진리란

진리가 너희를 자유케 하리라

성경에서 요한복음 8:32절을 보면 "진리를 알아야 할지니 진리가 너희를 자유케 하리라"는 말씀 구절이 있습니다. 진리를 안다는 건 참 중요한 일입니다. 진리를 모르면 미신에 빠지거나 남에게 학대나 착취를 당하게 되기 때문이죠. 과거에는 권력을 가진 몇몇 소수의 사람들이 진리를 감추거나 자신의 이익을 위해 진리를 왜곡하기도 했어요. 이것은 진리가 담긴 정보를 독점하고 있었기 때문에 가능한 일이었죠.

10월 31일, 1517년

마르틴 루터, 면죄부 비판

1517년 10월 31일 독일의 수도사 마르틴 루터가 로마 가톨릭의 면죄부 판매에 대한 95개 비판문을 비텐베르크 교회 정문에 붙여 종교개혁의 불씨를 당겼다. 루터는 신자들이 면죄부만 사고 자신을 찾아와 고해하지 않는 데 격분해 당시 관례대로 교회 정문에 대자보를 붙여 이를 성토하였다. 그의 의도와 달리 그 글은 구텐베르크의 인쇄술 덕분에 순식간에 퍼져 유럽 전체를 뜨겁게 달구었다. 루터는 파문되었으나 독일 영주들의 보호를 받았고, 취리히의 츠빙글리, 제네바의 칼뱅이 뒤이어 종교개혁 운동을 주도해 나갔다.

종교계에서도 그런 일이 있었답니다. 오늘날에는 누구나 원하면 언제든 성경책을 읽고 묵상할 수 있어요. 그건 우리가 숨을 쉬는 것처럼 너무나 당연한 일로 여겨지는 일입니다. 하지만 그것은 모두 종교개혁을 이끈 마르틴 루터의 공이 있었기 때문입니다. 그 전까지는 성경의 해석은 교회의 성직자가 도맡아 했고 일반인은 성경책이 너무 비싸 소장할 수도 없었어요. 당시에 가톨릭교회는 교황과 신부들만이 신의 말씀을 전할 수 있다고 믿었어요. 교황과 신부들은 신의 말씀을 전할 때 완전무결하게 아무런 실수도 저지르지 않는다고 생각하고 있었답니다.

그러다 보니 일반인들은 교회에 가서 성직자가 하는 설교를 듣고 무조건 따를 수밖에 없었어요. 그때까지만 해도 라틴어로 된 성서를 보는 일은 신부나 수도사 등과 같은 성직자의 특권이었어요. 또 성경책 한 권의 가격은 지금으로 치면 7,000만 원 정도 하였기 때문에 전 재산을 다 팔아도 가지기 힘들었어요. 평신도들은 오직 카톨릭 신부들을 통해서만 성경의 가르침을 접할 수 있었어요.

면죄부 장사

"자! 여기 면죄부가 있습니다. 이 면죄부는 교황님께서 직접

싸인한 것입니다. 이 면죄부 한 장을 사면 죄를 지은 사람도 죄를 면제 받고 지옥에서 천국으로 갑니다."

"정말 그 표만 사면 죄가 있어도 천국 가는 게 맞나요?"

"물론이요. 올해는 대사면의 해라 교황님의 은혜로 특별히 나온 것입니다."

"한 장 주세요."

"자! 그리고 이미 지옥에 있는 친척이라도 이 면죄부를 사는 순간 천국으로 올라갈 수 있기 때문에 좀 더 비쌉니다."

"그런 것도 있어요?"

"교황님은 땅에 있는 하나님이시잖아요! 하나님이 용서하신다는 데 누가 뭐라 그래요?"

"와! 정말 기적입니다."

"자! 이제 몇 장 남지 않았어요! 자! 빨리 구매하세요!"

성직자들은 성경을 손바닥으로 가리고 사람들의 눈을 어둡게 하여 진리에서 멀어지게 한 다음 면죄부를 팔았습니다. 면죄부는 교황만이 교부할 수 있었어요. 면죄부는 처음에는 현세에서 받아야 할 벌을 대신하거나 고행을 대신하는 것이었다가 나중에는 연옥에 있는 가족들의 죄까지도 대신할 수 있게 됐습니다. 교황청은 성당을 건축하기 위해 재정이 부족하니 자꾸 면죄부 판매를 늘려나갔어요.

루터는 타락한 교황과 카톨릭교회를 상대로 싸우기로 마음을 먹었어요.

"신부가 성경을 독점하고 면죄부를 파는 건 옳지 않다."

루터가 자꾸 이런 말을 하자, 성당 측에서는 그를 아주 싫어했어요. 루터는 카톨릭 신학교의 교수였는데, 그를 쫓아내려고 별의별 수단을 다 동원했어요. 그러던 어느 날 1517년 10월 31일이 되었어요.

루터는 비텐베르크의 만인성자 교회의 문 앞에 섰어요.

영화 "루터"의 한 장면(사진 제공, 가나미디어)

카예탄 추기경의 심문을 받는 루터(오른쪽)

루터 시대 당시 수도사 테젤이 판 면죄부 선전문

"자! 내가 오늘 '면죄부에 관한 95개 조 논제'라는 반박문을 붙인다. 누구라도 이 95개의 거짓된 진리가 성경에 나온다면 나와 토론해 보자. 신부들이 가르치고 있는 이 잘못된 95개의 거짓말을 성경에서 찾아낸다면 나는 기꺼이 죽을 것이다."

그날은 "모든 성인의 날" 대축일 전날 밤이었고, 그곳에는 성인들의 유물이 전시되어 있었어요. 바로 그날 루터는 죽음을 각오하고 진리가 아닌 거짓을 고발했어요. 루터는 그 반박문에서 만약 성경에 이러한 95개의 조항이 있다면 자신과 함께 토론하자고 제안했어요. 하지만 당시 가톨릭교회는 95개의 반박문에 한 마디도 답변을 하지 않았답니다. 왜냐하면 면죄부 판매는 성경에 기록돼 있지 않은 명백한 거짓이었기 때문이죠.

변할 수 없는 확고한 사실, 밝히든지 아직 밝히지 못하였든지 절대 변하지 않는 진실을 '진리(truth)'라고 한답니다. 한문으로 쓸 때 '眞理'는 "변하지 않는 참된 이치"라고 할 수 있습니다. 중국의 학자 임어당은 영어의 truth를 '도(道)'로 번역했고, 이 '도'를 우리나라 성경에서는 '말씀'이라고 번역했습니다.

세상이 만들어질 때 생긴 법칙

'진리'라는 말은 헬라어로는 '알레데이아(ajlhvqeia)'이고, 히브리어로는 '에메트(tma)'입니다. 에메트는 견고하고 변하지 않는 실체를 가리키는 말로서, 올바르고 정확하며 참되고 생래적(生來的)인 목표를 향해 움직이고 있음을 나타냅니다.

진리란 쉽게 말하면 하나님이 세상을 만드실 때 적용한 법칙을 말합니다. 즉 씨가 땅에 떨어져서 나무가 되고 열매를 맺고, 그리고 새로운 씨를 뿌려서 새 싹이 나고, 그 나무는 벼락을 맞아 타 죽고, 새로운 나무가 자라고, 산불이 나서 검게 변했던 산에도 봄이 오면 새싹이 돋아나는 이치이지요. 그리고 한 번도 변하지 않은 진리는 사람은 태어나서 자라고 죽는 것입니다. 그리고 죽은 다음엔 심판이 있다는 겁니다.

히브리서 9:27에 그 진리가 기록되어 있습니다.

"한 번 죽는 것은 사람에게 정해진 것이요 그 후에는 심판이 있으리니."

에메트(tma)는 하나님의 뜻을 나타내는 의지의 표현입니다. 그렇기 때문에 하나님의 계명과 동의어가 됩니다. 하나님의 계명에 대한 인간의 적절한 반응은 순종이고, 순종할 때 우리에게서 진실이 나타납니다. 진리는 성실과 신실을 의미할 뿐 아니라 하나님의 뜻과 일치하는 종교적 · 도덕적 삶의 전 분야를 의미하고 있습니다.

그래서 바울 사도는 '진리'에 대해 "진리가 예수 안에 있다."(엡 4:21)는 말로 압축했습니다. 다시 말해 예수님만이 진리를 알고 실천하고 완성하신 분이라는 뜻입니다.

진리는 손에 잡히지 않는 축복입니다

《탈무드》에 나오는 이야기입니다.

한 어머니가 어느 날 상점에서 옷을 한 벌 샀습니다. 집에 돌아와서 다시 한 번 입어보며 주머니에 손을 넣었는데, 커다란 보석이 들어 있었습니다. 순간 어머니는 보석을 두고 갈등했습니다.

'내가 산 옷에 있으니 내 것 아닐까?' '아니야 보석이 엄청 비싸 보이는데 잃어버린 사람이 지금쯤 애타게 찾고 있을 거야.'

그러나 혼자서 답을 내리기 어려워 마을의 랍비를 찾아가 어떻게 하는 것이 좋겠냐고 물었습니다.

그러자 랍비가 단호하게 말했습니다.

"당신이 산 것은 외투이지 보석이 아닙니다. 당장 돌려주는 것이 맞습니다. 만약 보석을 돌려주러 갈 때 당신의 자녀를 데리고 간다면, 당장은 아쉬울지 몰라도 보석보다 몇 배나 더 귀중한 것을 자녀에게 물려주게 될 것입니다."

진리란 원칙이고, 원칙이란 때로는 힘든 결정을 요구합니다. 하지만 원칙을 지키면 결과는 반드시 좋아집니다. 진리의 길을 따르도록 우리는 하나님께 힘을 구해야 합니다.

결론입니다

예수님은 진리의 본체이십니다. 예수님 자신이 진리이시기 때문에 그분의 의지와 행위도 진리입니다. 참 진리이신 예수님을 알지 못하고서는 진리를 안다고 혹은 이해했다고 말할 수 없습니다. 예수님은 진리이시기 때문에 십자가에서 죽으셨지만, 사람은 죽는 것이 아니고 내세가 있다는 것을 부활로 증명을 해 보여주셨습니다. 사람은 죽지 않고 영생합니다. 다만 죄로 인하여 어떤 사람은 영생의 부활로, 어떤 사람은 영벌의 부활로 부활합니다.

여러분은 영생의 부활을 원하세요? 아니면 영벌을 받는 지옥의 부활을 원하세요? 말씀을 믿는다는 것은 영생을 믿는 것이고,

영원한 벌이 있다는 것을 믿는 것입니다. 그리고 영생에 들어가는 유일한 진리는 오직 예수님만을 믿고 영접해야 한다는 사실을 받아들이는 것입니다. 지금 이렇게 기도해 보십시오.

하나님 아버지!

저는 죄인입니다. 지금까지 저는 하나님의 말씀을 떠난 제 생각과 사람들의 말을 따르며 살았습니다. 하나님은 진리를 말씀하시는데, 저는 거짓을 따르며 사람들의 말을 들으며 제 멋대로 살았습니다. 하나님의 말씀은 진리라서 창세 이후 한 번도 바뀐 적이 없지만 사람들의 말은 상황에 따라 마음대로 바뀝니다. 이제부터 저는 오직 성경에 기록된 대로 하나님의 말씀, 곧 예수님만이 진리임을 믿고 예수님을 영접하며 모시고 살기를 원합니다. 제 안에 오십시오. 제 마음과 인격 안에 오셔서 저를 다스려 주옵소서.

예수님의 이름으로 기도드립니다. 아멘!

인격의 씨줄

Latitude of personality

(말씀 _ 6)

| 본문 요 8:31-32 |

그러므로 예수께서 자기를 믿은 유대인들에게 이르시되 너희가 내 말에 거하면 참으로 내 제자가 되고 진리를 알지니 진리가 너희를 자유롭게 하리라.

외울 말씀

"그러므로 예수께서 자기를 믿은 유대인들에게 이르시되 너희가 내 말에 거하면 참으로 내 제자가 되고 진리를 알지니 진리가 너희를 자유롭게 하리라."(요 8:31-32)

관련 동영상

라과디아

인격.인성

진리는 변함 없는 것

중국 송나라 때 지방의 한 벼슬아치가 수도에서 제일 큰 보석상을 찾아왔습니다.

"이 옥을 좀 살펴주십시오."

옥을 살펴보던 보석상이 깜짝 놀랐습니다.

"아니, 이 귀한 옥을 어디서 구했습니까? 이런 좋은 옥은 저도 본 적이 없습니다."

벼슬아치는 옥을 받고 의기양양하게 당시 재상이었던 자한을 찾아갔습니다.

"우리 가문의 가보인 옥입니다. 부디 재상님의 마음에 꼭 드셨으면 좋겠습니다. 그리고 한 가지 부탁드릴 것이 있는데..."

벼슬아치의 말을 듣던 자한은 갑자기 고개를 돌리며 그의 말을 끊었습니다.

"당신에게는 옥이 가보이며 보배지만 나는 청렴과 정직이 가보이자 보배요. 내가 당신의 청을 듣는 순간 두 가지 보배를 잃게 되는 것이니 얼마나 어리석은 일이요? 그만 돌아가시오."

몇 년 전, 미국을 방문할 때 들었던 이야기입니다. 뉴욕의 국제선 공항인 케네디 공항(JFK International Airport)에 도착하여 다시 다른 주로 이동하기 위해서는 국내선 공항인 라구아디아로 옮겨가야 했습니다. 케네디 공항은 미국 대통령 존 F 케네디(John F. Kennedy) 대통령의 이름을 딴 것이고, 라구아디아 공항은 뉴욕 시장을 3번이나 역임한 '피오렐로 라구아디아(Fiorello La Guardia)' 시장의 이름을 따서 명명한 것이랍니다.

라구아디아 시장에 대한 유명한 일화(逸話)가 있답니다. 라구아디아 시장이 뉴욕 시의 즉결 재판부 판사로 있을 때의 일입니다. 어느 날 빵을 훔치다 체포되어 기소된 노인을 재판하게 되었습니다.

라구아디아 판사는 노인에게 물었습니다.

"아니! 어찌하여 빵을 훔쳤습니까?"

"죄송합니다."

"나이도 있으신 분인데 어떻게?"

그러자 노인은 울먹이면서 겨우 입을 열었습니다.

"죄송합니다. 우리 손자들이 사흘 동안 아무것도 못 먹었습니다. 아이들을 생각하니 제가 잠시 정신이 나갔나 봅니다. 흐흐흑!"

"이해는 갑니다만, 그래도 훔치면 절도죄에 해당됩니다."

"죄송합니다. 저도 모르게 손이 갔습니다. 한 번만 용서하여 주십시오?"

노인은 머리를 조아리며 용서를 구했습니다. 한참 생각한 라구아디아 판사는 판결을 선고합니다.

"노인의 사정은 정말 딱합니다. 하지만 법은 진리이고 정의입니다. 그래서 만인에게 평등해야 합니다. 빵을 훔친 이상 당신은 벌금을 내야 합니다."

"저는 벌금 낼 돈이 없습니다."

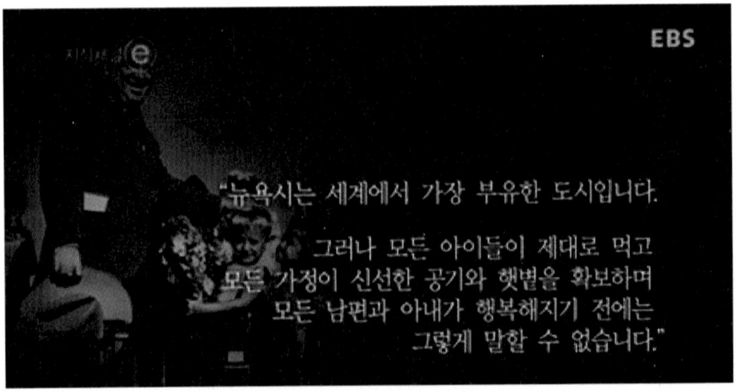

"알고 있습니다. 하지만 죄를 지으면 당연히 삯을 치러야 합니다. 당신이 내야 할 벌금은 10달러입니다."

그리고 판사는 고퇴(叩堆 ; 두드리는 망치)를 내리쳤습니다.

"땅땅땅!"

판결을 하자말자 라구아디아 판사는 얼른 자기 지갑을 열었습니다. 그리고 10달러를 법원 서기에게 주면서 이렇게 말했습니다.

"이 벌금은 제가 대신 내어 드리겠습니다. 우리 가운데 이처럼 배고픈 사람이 있었는데, 저는 그동안 너무 좋은 음식을 배불리 먹었습니다. 그 죄로 제가 이 노인의 벌금을 내겠습니다."

그리고 판사는 말합니다.

"여러분들도 이 노인에 대한 무관심의 죄로 벌금 내실 분이 있으시면 내십시오."

그리고 방호경관에게 모자를 벗어 돌리라고 명령했습니다. 그러자 감동한 방청객들이 그 자리에서 47달러를 모금했습니다. 그리고 그 노인에게 주었습니다.

"당신은 죄를 지었습니다. 죄를 지으면 그가 대통령이라 해도 벌을 받는 것은 진리이고 정의입니다. 그러므로 제가 용서할 수 있는 것은 아닙니다. 하지만 우리는 당신을 돌보지 못한 잘못과 또 당신이 다시 용기를 내어 살라는 의미에서 작지만 마음을 모아 모금을 했습니다. 많지는 않지만 작은 일이라도 찾아 일할 때까지 끼니를 해결하십시오."

그렇게 말하자 노인은 눈물을 흘리면서 모금한 돈을 받아 재판정을 나갔다고 합니다.

어때요? 판결을 마치 자선을 베푸듯이 하는 겉멋이 든 일부 판사들과는 다르죠? 판결 외의 자선으로 판결을 보충하는 모습이야말로 법도 지키고 사회 문제도 해결할 수 있게 되는 거죠.

라구아디아 판사는 정의로운 진리의 판사였습니다. 이러한 그의 정직함과 정의로운 행동은 입소문을 타고 퍼져나가 나중에 뉴욕 시장에 출마하여 당선되었습니다. 시장이 되어서도 정직하고 정의롭고 진리로 시민들을 위해 봉사하여 뉴욕 시민은 그분을 기리는 마음으로 새로 지은 공항을 이름을 라구아디아 공항이라고 짓게 되었습니다.

그뿐 아니라 라구아디아 판사의 이름을 딴 수많은 건물과 명소들이 만들어집니다. 이것은 인자와 진리가 온전히 충만할 때 사람들에게 어떤 감동을 일으키고 세상을 변화시키는지를 보여주는 아주 좋은 예가 됩니다.

결론입니다

여러분들이 가장 화가 날 때가 언제이든가요? 그것은 공평하지 못한 일을 당했을 때입니다. 공평한 것을 정의라고 합니다. 성경은 공평한 정의를 '공의'라고 말씀합니다. 모든 사람에게 적용되는 정의로움과 공평을 진리라고 말하는 것입니다. 물론 원칙이나 자연법칙도 진리입니다. 이 세상은 진리로 창조되었기 때문에 진리대로 사는 것이 가장 행복한 삶인 것입니다.

어떤 날 랍비가 말하기를

"진리는 길에 널려 있는 돌멩이처럼 흔한 것이다."

라고 했습니다. 그래서 제자가 묻기를

"선생님, 그렇게 흔한 것인데 왜 사람들은 진리를 터득하지 못합니까?"

랍비는 다시 대답합니다.

"그거야 사람들이 허리를 굽히기 싫어하기 때문이지. 허리를 굽히기 싫어하기 때문에 돌을 주울 수가 없단다."

그렇습니다. 허리를 굽혀야 돼요. 허리를 굽혀야 진리를 터득하고 진리를 터득해야 지도자가 될 수 있습니다.

진리는 항상 바른 것을 추구합니다. 성경은 진리를 빛으로 비유합니다. 빛에는 어두움이 없기 때문입니다. 어두움은 죄를 말합니다. 죄는 비진리입니다. 거짓입니다.

그러므로 사랑하는 여러분! 진리를 사랑하십시오. 진리가 여러분들을 자유롭게 할 것입니다.

하나님!

우리에게 진리를 깨달을 수 있도록 성령님을 보내어 주시니 감사합니다. 진리의 성령님이 오셔야 우리가 진리를 알고 또 진리를 깨달을 수 있기 때문입니다. 또한 예수님 감사합니다. 십자가에서 우리에게 조건 없는 은혜를 베풀어 주셔서 죄를 다 씻어 주시고 성령님을 모실 수 있게 해 주셨습니다. 구하오니 저희로 진리로 거룩하게 하여 주옵소서. 더욱 진리로 은혜를 기뻐하고 체험하게 하여 주옵소서.

예수님의 이름으로 기도드립니다. 아멘

은혜와 진리의 충만

Fullness of grace and truth

(말씀 _ 7)

본문 요 1:12-16

영접하는 자 곧 그 이름을 믿는 자들에게는 하나님의 자녀가 되는 권세를 주셨으니 이는 혈통으로나 육정으로나 사람의 뜻으로 나지 아니하고 오직 하나님께로부터 난 자들이니라. 말씀이 육신이 되어 우리 가운데 거하시매 우리가 그의 영광을 보니 아버지의 독생자의 영광이요 은혜와 진리가 충만하더라. 요한이 그에 대하여 증언하여 외쳐 이르되 내가 전에 말하기를 내 뒤에 오시는 이가 나보다 앞선 것은 나보다 먼저 계심이라 한 것이 이 사람을 가리킴이라 하니라 우리가 다 그의 충만한 데서 받으니 은혜 위에 은혜러라.

외울 말씀

"영접하는 자 곧 그 이름을 믿는 자들에게는 하나님의 자녀가 되는 권세를 주셨으니 이는 혈통으로나 육정으로나 사람의 뜻으로 나지 아니하고 오직 하나님께로부터 난 자들이니라."(요 1:12-13)

관련 동영상

니콜라이 2세 대관식

인자와 진리

예수님은 은혜와 진리가 충만합니다

키에르케고르라는 유명한 철학자가 있어요. 그분이 말했습니다.

"인생이란 선택의 연속이다."

하나님께서는 에덴동산에 생명나무와 선악을 알게 하는 나무를 나게 하신 후, 아담과 하와에게 선악과는 먹지는 말라고 하셨습니다. 그리고 선악과를 먹는 날에는 정녕 죽음을 영원히 피할 수 없을 것이라고 말씀하셨습니다. 만약에 아담과 하와에게 선택의 자유가 없었다면 하나님이 선악과를 따먹지 말라고 하셨을 때, 인간은 선악과를 따먹을 수 없었을 겁니다. 선악과를 먹지 말라고 하신 하나님의 명령에 대하여 아담과 하와는 먹지 않는 순종이냐 먹는 불순종이냐 하는 선택의 기로에 서게 되었습니다.

그런데 아담과 하와는 선택의 양 갈래에서 불순종을 택하여 선악과를 먹고 말았습니다. 자유로 인한 선택에는 반드시 책임이 따릅니다. 아담과 하와가 순종을 거부하고 불순종을 선택한 책임은 바로 죽음이었습니다. 선악과를 따먹고 숲속에 숨어 있는 아담에게 하나님께서 왜 선악과를 따 먹었냐고 책망하셨습니다. 그러자 아담은 하나님이 주신 여자가 먹게 하였다고 핑계를 댔습니다. 또 하와에게 왜 먹었느냐고 책망하실 때, 하와는 뱀이 먹게 하였다고 핑계를 댔습니다. 진리, 즉 공의(公義)에는 예외나 변명이 통하지 않습니다. 그래서 로마서 3장 23절에서 "죄의 삯은 사망"이라고 선언하고 있는 것입니다.

자유는 은혜

우리 인간에게 자유를 주신 것은 하나님의 은혜입니다. 은혜가 무엇인지는 배웠지요? 그런데 자유에는 책임이 따릅니다. 즉 사랑을 주시는 하나님과의 약속을 지켜야 한다는 것이지요.

하나님의 언약에 대한 약속을 지키는 책임이 진리입니다. 진리는 여러분이 지난 번 배웠을 겁니다. 에덴동산을 만드시고 아담과 하와에게 이 지구와 우주를 다스리도록 마음껏 자유를 주신 하나님의 은혜와 하나님이 주신 언약을 지키는 책임인 진리를 지킬 때, 인간은 영원한 생명, 즉 영생을 살도록 예정되어 있었습니다. 하지만 자유를 가지고 책임을 지지 않고 진리를 지키지 않았기 때문에 사람은 죽음이라는 고통과 슬픔을 맞이하게 된 것입니다.

"죄의 삯은 사망이요. 하나님의 은혜는 영생이다."(롬 3:23)

사랑하는 어린이 여러분!

모든 사람에게는 선택의 자유가 있습니다. 자유는 사람만이 가진 천부적인 은혜입니다. 하지만 이렇게 자유로운 선택에는 반드시 책임이 따르게 됩니다. 이 책임이 약속이고 약속 중의 약속은 하나님과의 약속입니다. 그리고 이 하나님의 약속은 10계명에 나타납니다. 그런데 우리 인간은 자유는 누리면서 책임은 회피하려고 합니다. 이러한 책임의 회피 때문에 이 세상은 죄와 악이 가득하게 된 것입니다.

은혜와 진리는 조화로워야

신명기 30:15-20절에는 우리에게 두 갈래의 길이 있다는 것을 알려 주고 있습니다. 한 길은 책임을 다할 때 따라오는 생명과 축복의 길입니다. 그리고 또 다른 길은 무책임한 죄와 악 때문에 맞이하게 되는 저주와 사망의 길입니다. 일평생을 살아가면서 어떤 길을 선택할 것인지는 자신의 선택입니다. 그 선택에 따라 지옥으로 가든지 천국으로 가든지 우리의 내세가 결정되기도 합니다.

이런 이야기를 한 번 들어보시면 자유와 책임의 관계를 이해하게 될 것입니다.

러시아에 속한 어느 나라에 한 왕이 있었습니다. 이 왕은 자신의 나라가 정말 부강한 나라가 되기를 원하며 백성들을 훌륭한 사람들로 만들고 싶어했습니다. 그래서 좋은 법을 만들어 공포했

습니다.

"짐은 어리석고 부족하여 짐의 힘만으로는 부강한 나라를 만들 수가 없다는 것을 깨달았다. 이에 짐은 좋은 학자들을 동원하여 나라를 부강하게 만드는 근본이 되는 법을 만들었다. 이 법은 크게 좋은 일을 많이 하는 자는 상을 내려 높은 자리를 줄 것이며, 법을 어겨 죄를 짓는 자는 지위 고하를 막론하고 반드시 벌을 줄 것이며, 그중에 가난한 자의 재산을 훔치거나 부녀를 겁탈하는 자는 누구라도, 그가 왕자라 할 지라도 두 눈을 뽑는 벌을 내릴 것이다."

그렇게 몇 년이 지나자 정말 그 나라는 좋은 법률 때문에 도둑이나 성범죄자는 사라지고, 좋은 일을 하는 사람이 늘어 정말 살기 좋은 나라가 되었습니다. 그런데 공교롭게도 하나뿐인 왕자가 궁중의 궁녀 한 명을 겁탈하였습니다.

신하들은 왕이 알까 보아 걱정이 대단했습니다.

"절대 이 일이 알려지면 안 되네! 알려지면 왕자님은 두 눈을 뽑히게 될 것이네!"

하지만 "발 없는 말이 천리가고, 밤말은 쥐가 듣고 낮말은 새가 듣는다."고 하듯이 왕자의 죄는 결국 임금님의 귀에까지 들어가게 되었습니다.

임금은 신하들을 모아놓고 말했습니다.

"여기! 짐이 공포한 법을 어긴 자가 있다는 소문이 궁 안에서 들리는 데, 경들은 알고 있소?"

"주상! 성은이 망극하옵나이다!"

"내가 분명히 선포하기를 지위 고하를 막론한다고 했으니, 이는 짐이나 왕자라 할지라도 용서할 수 없도다. 이실직고하렸다."

"주상! 왕자님이 최근에 그런 실수를 저지른 것은 사실이오나, 왕자님은 다음 종묘사직을 이어갈 국본이오니, 이는 당연히 치외법권이 되어야 할 것으로 사료되옵니다. 통촉하여 주옵소서!"

"짐은 이미 지위 고하를 막론하고 처벌할 것이라고 공포하였다. 이는 원칙이며 원칙

은 곧 진리이다. 그가 누구든지 간에 당연히 처벌을 받는 것이 마땅하다. 당장 망나니를 대령하고 왕자를 포박하여 데려오라!"

결국 왕자는 두 눈을 뽑히게 될 위기에 놓였습니다. 지글거리는 숯불사이에 눈을 뽑는 인두가 벌겋게 달아올랐습니다. 망나니는 춤을 추면서 왕의 입을 바라보았습니다. 왕의 입에서 떨어지는 명령에 따라 망나니는 집행을 해야 했기 때문입니다. 얼마나 흘렀을까요.

드디어 왕의 입이 열렸습니다.

"집행하라!"

왕자는 포박 당한 채 죄인이 앉는 의자에 앉아 절규했습니다.

"아바마마! 용서하여 주옵소서. 죽을죄를 졌습니다. 용서하여 주옵소서!"

하지만 이미 망나니의 벌겋게 달은 인두는 왕자의 오른쪽 눈을 향해 돌진하고 있었습니다. 그리고 잠시 후 비명이 들렸습니다.

"악! 아아 악!"

어느새 망나니의 손에는 뽑혀져 나온 눈알이 피를 철철 흘리며 들려 있었습니다. 이윽고 두 번째 눈을 뽑으려고 망나니는 다른 벌겋게 단 인두를 들었습니다. 바로 그 순간이었습니다.

"잠깐! 잠시만 멈추어라!"

임금님은 망나니의 행동에 제동을 걸었습니다. 그리고 쏜살같이 달려가 망나니가 들고 있던 인두를 뺏어 들었습니다. 그리고 순식간에 인두로 자신의 왼쪽 눈을 찔렀습니다. 뜨거운 불에 살이 타는 냄새가 궁정 안에 가득했습니다. 그리고 임금님은 자신의 왼쪽 눈을 뽑아 망나니의 손에 들려주었습니다.

"자! 이것은 왕자를 대신하여 뽑은 나의 눈이다. 왕자는 나와 한몸이니 두 눈을 뽑겠다는 짐이 세운 법은 정의를 세웠다. 그러니 왕자의 한쪽 눈은 그대로 두어라!"

결국 임금님의 사랑으로 임금님은 자신이 세운 진리의 법을 완성할 수 있었습니다. 임금님의 행동은 진리와 은혜를 완성하는 값진 행동이 되어 이 소식을 들은 백성들은 더더욱 법을 지키며 서로서로 어려움을 당해도 은혜를 베풀며 잘 살아 결국 부강한 나라가 되었다고 합니다.

사랑하는 여러분!

예수님은 은혜와 진리가 충만한 분이라고 요한 사도가 말씀을 전해주었습니다. 즉 예수님이 사람의 몸을 입고 오신 것은 죄를 짓는 자의 마지막은 사망이라는 하나님의 진리를 성취하시는 것입니다. 그러면서 또 '하나님은 사랑이시다'는 은혜의 하나님을 증명하는 길을 만드시기 위해 오신 겁니다. 십자가에서 예수님이 죽으신 것은 '죄의 삯은 사망'이기 때문에, 십자가에서 우리를 대신하여 희생 제물이 되시고, 죄의 값, 대가를 대신 받으심으로 하나님은 은혜와 사랑이시라는 것을 보여주신 것입니다.

결론입니다

예수님의 십자가 죽음은 하나님의 은혜와 진리를 완성한 하나님의 길, 하나님의 방법, 하나님의 지혜임을 알게 됩니다. 십자가의 도는 구원을 얻는 하나님의 방법입니다. 십자가는 반드시 진리(공의)대로 하면 우리는 죽어야 하는 존재이지만, 하나님의 자비(은혜)로 십자가의 방법으로 우리의 죄가 사해졌다는 하나님의 지혜로운 방법임을 알려줍니다.

하나님 아버지!

진리대로 하면 우리는 모두 진리에서 벗어나 불법과 비진리로 살며, 그 대가로 고통과 징벌을 받고 또 죽어서는 지옥에 갈 수밖에 없는 존재임을 고백합니다. 저희 죄를 십자가를 통해 용서해 주심을 감사드립니다. 십자가 안에서 이루신 하나님의 은혜를 찬양하며 감사하고 믿습니다.

예수님의 이름으로 기도드립니다. 아멘!

은혜와 진리의 적용 - 실천 1

Application of Grace and Truth - Practice 1

(말씀 _ 8)

본문 잠언 16:1-6

마음의 경영은 사람에게 있어도 말의 응답은 여호와께로부터 나오느니라 사람의 행위가 자기 보기에는 모두 깨끗하여도 여호와는 심령을 감찰하시느니라. 너의 행사를 여호와께 맡기라 그리하면 네가 경영하는 것이 이루어지리라. 여호와께서 온갖 것을 그 쓰임에 적당하게 지으셨나니 악인도 악한 날에 적당하게 하셨느니라. 무릇 마음이 교만한 자를 여호와께서 미워하시나니 피차 손을 잡을지라도 벌을 면하지 못하리라. 인자와 진리로 인하여 죄악이 속하게 되고 여호와를 경외함으로 말미암아 악에서 떠나게 되느니라.

외울 말씀

"마땅히 행할 길을 아이에게 가르치라 그리하면 늙어도 그것을 떠나지 아니하리라."(잠언 22:6)

관련 동영상

청렴동화 '넘을까 말까'

바늘도둑

예수님의 기초 - 은혜(grace)와 진리(truth)

사랑하는 여러분!

예수님의 성품을 가장 간명하게 설명하는 단어가 은혜와 진리입니다. 주님은 은혜의 토대 위에 진리가 되는 구원의 도리(道理)를 선포하셨습니다.

하나님의 아들이신 예수님은 은혜와 진리의 충만(full)이셨다고 합니다.(요 1:14) 임마누엘로 오신 예수님뿐 아니라 삼위일체 하나님의 가장 중요한 속성은 은혜와 진리의 충만하심입니다. 마치 생명체의 근간을 이루는 DNA가 이중 나선형의 대칭 구조로서 서로를 감싸면서 완벽하게 보완해주듯 은혜와 진리는 삼위일체 하나님의 근본 성품의 DNA로서 완벽한 조화를 이루듯 말입니다.

"우리가 그 영광을 보니 아버지의 영광이요, 은혜와 진리가 충만하더라."(요 1:14)

"율법은 모세로 말미암아 주어진 것이요, 은혜와 진리는 예수 그리스도로 말미암아 온 것이라."(요 1:17)

이 말씀의 핵심은 예수님이 은혜와 진리를 가장 잘 융합한 유일한 분이라는 것입니다. 교회는 소금과 빛입니다. 진리의 불만 밝히느라 빛을 강조하여 또 다른 측면인 소금임을 잊어버렸습니다. 그래서 짜지 못해 땅에 버려져 밟히고 있습니다.

사람들은 은혜와 진리를 원해요

여러분!

가만히 생각해 보면 주변의 사람들, 혹 선생님, 심지어 친구들까지도 은혜와 진리가 충만한 사람을 보면 행복해 진답니다. 그것은 우리 양심 스스로가 은혜와 진리의 두 조합이 얼마나 중요한지를 깨닫고 있기 때문입니다. 필자는 목사이자 작가인데, 자녀들을 키울 때 이 은혜와 진리의 균형을 가지고 교육했습니다.

어린 아이들을 키울 때 은혜만으로 키우면 아이들의 버릇이 한없이 나빠진다고 합니다. 반면 진리와 지식만을 가르치고 은혜와 사랑으로 보살피지 않으면 아이들은 비판받는 것이 두려워 거짓말을 하게 되고, 오히려 비판만 하는 아이가 된다고 합니다. 훌륭한 자녀로 키우는 부모의 양육 태도를 보면 은혜와 진리가 조화를 이루고 있습니다. 이것은 하나님의 자녀들을 낳고 기르는 교회 생활에서도 그대로 나타납니다.

짧게 정리하면 전도는 진리만을 선포하는 것이 되어서는 안 되

고, 은혜를 통해 전달되어져야 더 깊이 들어가고 효과가 극대화된다는 것입니다.

진리가 분명할수록 은혜도 분명해지는 것은 분명합니다. 다시 말해 진리를 추구하는 삶 속에서 은혜를 드러내지 않는다면 결코 진리에 이른 것이 아닐 수도 있습니다.

그래서 필자는 자녀들을 이렇게 키웠습니다. 자녀 셋을 키우면서 하지 말아야 할 것에 대한 원칙이 10가지 정도가 있었습니다. 그것을 지키지 않았을 땐 누구라도 예외 없이 100대의 회초리를 맞기로 약속해 두었습니다. 그중에 한 가지가 시간을 어기고 게임을 할 때였습니다. 자녀들이 크다 보면 실수는 있기 마련이기 때문에 반드시 매를 들어야 할 때가 있는 법입니다. 100대의 매를 때리려고 종아리를 걷으면 아이들은 울음부터 터뜨립니다. 그러나 예외가 존재하면 안 되는 것이 정의이며 진리입니다. 매를 드는 순간 본능적으로 아이들은 "아빠! 잘못했어요, 다시는 안 그럴게요! 용서해 주세요."라며 자비를 구합니다. 애처로운 소리를 들을 때 마음이 흔들리는 것은 사실입니다. 속으로는 '크윽'하고 웃음도 납니다. 표면적으로는 때리기 위해 매를 들지만 마음은 이미 모든 것이 이해되고 용서가 됩니다. 진정한 용서란 벌을 받을 때 되는 것임을 우리는 알고 있습니다. 이때 약해지면 안 됩니다. 먼저 50대의 매를 때립니다.

그런 후에 이렇게 말합니다.

"자! 아빠가 50대의 매를 너희에게 때렸으니 이제 남은 50대는 아빠가 맞을게요. 왜냐면 너희들이 나머지 50대를 더 맞으면 피를 흘리고 죽을지도 모르기 때문이에요. 아빠는 너희를 잘못 키운 죄가 있고, 또 너희들은 내 사랑하는 자식들이니 대신 벌을 받는 것이 사랑이에요. 그러니 너희들을 대신해 아빠가 50대를 맞을게요."

아이들을 때릴 때보다 더 아프게 필자에게 회초리를 휘두르면 종아리엔 어느새 피가 맺힙니다. 그렇게 한바탕 소동이 끝나고 나면 아이들은 통곡을 합니다. 자신들이 맞을 때보다 더 아픔을 느끼는 것입니다. 세 명의 아이들을 키우면서 한 번씩은 다 이렇게 50대씩을 맞았고 덩달아 저도 맞았습니다. 하지만 똑같은 일이 두 번은 일어나지 않았습니다. 엄하게 세운 계율과 진실한 사랑의 회초리는 단 한 번만으로 충분했단 뜻입니다.

연탄 한 장 때문에

필자가 청주에서 목회를 할 때 직접 겪었던 이야기입니다.

한 번은 교인들의 부탁으로 청주여자 교도소에 면회를 갔습니다. 수감된 사람은 34살의 아기 어머니였는데, 감옥에도 절도죄로 여러 번 들어왔었다고 합니다. 그런데 이번에는 조금 큰 물건을 도둑질을 하여 3년 형을 언도받아 복역중이라고 했습니다.

절차를 밟아 면회실로 들어갔습니다.

"안녕하세요? 저는 청주에 있는 교회 목사입니다. 날도 추운데 고생이 많으시죠?"

"죄를 지었으니 달게 받아야죠!"

"참 많이 먹고 살기 힘드셨나 봅니다."

"힘든 것도 있지만 습관이 된 것 같아요!"

"습관이라고요?"

"네! 저는 여기 들어와 있을 때마다 우리 어머니가 미워 죽겠어요."

"어머니가 힘들게 하셨나보죠?"

"물론 힘들었죠. 어릴 땐 너무 힘들어 하루 끼니도 때우기 힘들었어요. 그리고 배고픔보다 더 힘든 것은 추위였어요."

"그렇죠. 저도 온기 하나 없는 방에서 총각 시절 살았으니까요."

"한 날은 너무 추웠고 연탄 한 장 없는데, 학교 갔다 돌아오다 길가에 쌓인 연탄을 보았어요. 저는 얼른 그 연탄 중 한 장을 비닐에 싸서 가슴에 안고 집으로 왔어요. 집에 와서 어머니한테 주니 아무 말도 않고 어머니는 그 연탄으로 불을 때주는 거예요. 얼마나 따뜻하던지......"

"그랬군요?"

"저는 연탄을 훔쳐오면 어머니가 혼내고 주인에게 갔다 주라고 할 것 같았어요. 그런데 아무 말 않고 불을 때는 것을 보고 그렇게 해도 되는 줄 알았아요. 결국 그 일 때문에.....점점 더...."

"그랬군요! 맞아요. 성경에도 이런 말씀이 있어요. '마땅히 행할 길을 아이에게 가르치라 그리하면 늙어도 그것을 떠나지 아니하리라'(잠 22:6) 아이들에게 마땅히 행할 길, 즉 정직을 가르치지 않으면 결국 바늘도둑이 소도둑이 되죠. 하지만 수현 씨는 지금이라도 의지를 가지고 정직을 배워야 해요."

"네 목사님. 여기서 예배드리면서 정말 기도하고 있어요."

“네! 잘했어요. 힘내시고 성경 말씀은 진리이니 읽으면서 마음을 잘 잡으세요.”

필자는 그렇게 면회를 마치고 나오면서 연탄 한 장 때문에 일평생 죄에 빠진 수현 씨를 위해 많이 마음이 아팠습니다.

결론입니다

하나님의 사랑은 은혜로 표현할 수 있습니다. 또 하나님의 진리는 정직함이라고 표현할 수 있습니다. 이 세상은 하나님의 사랑과 정직함으로 인해 만물이 존재하고 사람도 살아갈 수 있습니다. 두 가지 중 하나만 잊어버려도 이 세상은 존재할 수 없다는 것을 알아야 합니다. 그러므로 우리 하나님의 자녀들도 하나님의 사랑과 진리를 가지고 살아갈 믿음을 가져야 함을 잊지 마시기를 바랍니다. 정직은 정직할수록 빛이 납니다. 어떻게 보면 사랑으로 용서할 수 있을 것 같기도 하지만, 정직하지 않으면 결국은 죄의 올무에 걸려 우리의 인생을 모두 망치게 됩니다. 그러므로 마땅히 행할 길을 어릴 때부터 배워 익혀야 합니다.

하나님 아버지!

하나님의 진리와 사랑으로 이 세상을 창조하셨음을 감사합니다. 그러므로 우리는 하나님이 세상을 만드신 그 법칙대로 살기 원합니다. 진리대로 살고 공의를 실천하며, 사랑과 자비로 만물을 다스리며 가족과 친구와 이웃들과 함께하게 하여 주옵소서.

예수님의 이름으로 기도드립니다. 아멘!

은혜와 진리의 적용 - 실천 2

Application of Grace and Truth - Practice 2

(말씀 _ 9)

본문 잠언 13:21-25

재앙은 죄인을 따르고 선한 보응은 의인에게 이르느니라. 선인은 그 산업을 자자손손에게 끼쳐도 죄인의 재물은 의인을 위하여 쌓이느니라. 가난한 자는 밭을 경작함으로 양식이 많아지거니와 불의로 말미암아 가산을 탕진하는 자가 있느니라. 매를 아끼는 자는 그의 자식을 미워함이라. 자식을 사랑하는 자는 근실히 징계하느니라 의인은 포식하여도 악인의 배는 주리느니라.

외울 말씀

"무릇 주의 인자는 커서 하늘에 미치고 주의 진리는 궁창에 이르나이다."
(시 57:10)

관련 동영상

이순신 장군의 9가지 명언

성품과 리더십

성품은 은혜와 진리가 조화를 이룰 때

예수 그리스도의 형상(image)이 완전하다 말할 수 있는 것은 은혜와 진리가 완벽한 조화를 이루었기 때문입니다. 역사 속에서 예수님만큼 완벽하고 조화롭게 은혜와 진리의 통일(융합)을 이루어내신 분이 없어요. 그렇기에 우리는 그분을 메시아라고 부르는 겁니다.

그런데 역사상 예수님과 같이 은혜와 진리를 융합시킨 이가 우리 조국 대한민국에도 있습니다. 바로 이순신 장군입니다. 그렇기에 우리는 그분을 성웅(聖雄)이라고 부릅니다.

다시 말해 예수 그리스도께서 보여주신 은혜와 진리의 조화는 우리민족이 존경하는 이순신 장군의 삶에서도 확인하고 배울 수 있는 위대한 리더십의 요체입니다. 은혜와 정의, 자비와 진리가 조화를 이루고 있다는 것입니다.

이순신 장군의 애민(愛民) 정신

1594년 갑오년, 명나라와 왜는 강화 교섭을 맺은 후 잠시 휴전 상태였습니다. 이순신 장군은 전쟁이 잠시 소강 상태에 접어든 그해 전장에서 고생한 부하들을 위해 위로 잔치를 베풀었습니다. 당시는 장군 역시 전염병으로 사경(死境)을 헤대고 있을 때였습니다.

임진왜란이 일어나기 훨씬 전인 1577년(선조 10)에는 백성의 숫자는 462만 명이었습니다. 그런데 임진왜란이 끝나고 조사를 하였을 때는 153만 명으로 줄었습니다. 전사자와 병사자들이 부지기수(不知其數)였습니다.

1595년 7월 14일이었습니다. 녹도만호 송여종(宋汝悰)에게 죽은 군졸들에게 제사를 지내주도록 하고 쌀 두 섬을 내어 주었던 날입니다. 이 날 장군은 을미년(1595년)에 죽은 군졸들을 제사 지낼 제문(祭文)을 지었습니다.

친상사장(親上事長) 윗사람을 따르고 상관을 섬기며
이진기직(爾盡其職) 그대들은 맡은 직책 다하였건만
투료윤저(投醪吮疽) 부하를 위로하고 사랑하는 일
아핍기덕(我乏其德) 나는 그런 덕이 모자랐노라
초혼동탑(招魂同榻) 그대들의 혼을 한자리에 부르니
설전공향(設奠共享) 여기에 차린 제물을 누리시게나

여기서 투료윤저(投醪吮疽)라는 싯구가 눈길을 끕니다.

‘술을 강물에 쏟아 붓고 종기를 빨았다’는 뜻입니다. 투료(投醪)는 적은 양의 술을 많은 군사와 백성들이 다 같이 마시기 위해서 강의 상류에 쏟아서 같이 마시게 했다는 춘추전국 시대의 고사(故事)입니다. 또 윤저(吮疽)는 부하 병사들의 종기를 자기 입으로 직접 빨아줌으로써 부하들이 목숨을 아끼지 않고 싸우게 했다는 중국 장수 오기(吳起)의 고사에서 나온 말입니다. 장군은 제문을 지을 때 이 두 가지 고사를 빌려와 인용했던 것입니다.

그중에 장군이 술을 강물에 쏟았다는 투료(投醪)의 일화가 전해지는데, 조선 야사(野史)를 기록한 이긍익(李肯翊, 1736~1806)의 《연려실기술(練藜室記述)》에 나오는 이야기입니다.

1597년 9월 16일 정유재란 때 해남과 진도 사이 울돌목에서 명량해전이 벌어졌습니다. 조선은 군선 13척으로 왜 함선 133척을 맞아 싸워야 했습니다. 명량해전 직전까지 장군이 고민한 것은 조선 수군의 군사력이 왜군에 비해 턱없이 열세라는 점이었습니다. 반면 조선 수군이 없다고 판단한 왜 수군은 명량해협에 도착했을 때 조선 군선 300여 척이 전투태세를 갖추고 있는 것에 당황했습니다.

왜군이 조선 군선으로 오인(誤認)한 선박이 바로 피란선(避亂船)이었습니다. 피란선의 일반적인 행동은 혼란스러운 것이었으나 장군의 지시에 따라 '배후에서 질서 정연히 바다를 오감으로써 왜군은 그들을 조선 군선으로 오인했다'고 《연려실기술(練藜室記述)》에 기술되어 있습니다.

혼자 먹어도 모자랄 것을

이순신 장군이 병사들을 집합시켜 훈시하고 있을 때였습니다. 한 노인이 다가와 이렇게 말합니다.

"감사합니다. 장군님이 오신 이후 왜적의 약탈이 없어져 고마움의 표시로 겨우 술 한 통을 마련해 왔으니 작은 정성으로 여겨 받아 주십시오."

노인의 간청에 이순신 장군은 훈시를 중단하고 이렇게 말합니다.

"오늘은 술 마시는 날이다. 모두 술잔을 들고 다시 모여라."

이렇게 외치고는 이순신 장군은 냇가로 내려가 병사들이 보는 앞에서 술통의 술을 냇물에 부었습니다. 병사들은 냇물에 흘러가는 술을 보고 못내 아쉬워했습니다. 침묵의 시간이 흘렀습니다.

이순신 장군이 술잔에 냇물을 채운 후 잔을 들어 올리며 크게

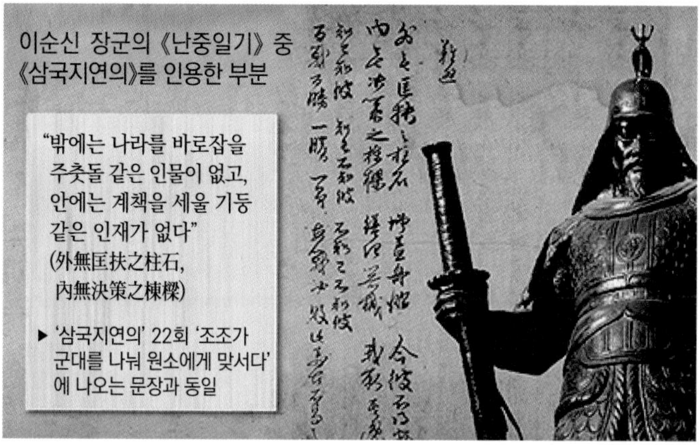

외쳤습니다.

“모두 술잔에 냇물을 채워라. 이 물은 맹물이 아니라 노인이 우리를 믿고 승리를 당부하는 술이다. 자, 모두 술을 마시자!”

병사들 모두 술잔에 냇물을 채웠습니다. 그때 누가 먼저 시작했는지 잔을 쳐든 병사들은 모두 “승리! 승리!”를 목이 터져라 외쳤습니다.

다음 날 벌어진 명량해전에서의 기적(奇蹟) 같은 승리는 장군과 휘하 장졸들과의 끈끈한 인간 관계가 뒷받침됐기 때문이었습니다.

적장도 흠모하고 숭상했던 이순신 장군

이순신 장군은 은혜와 진리를 조화롭게 잘 행함으로써 부하와

백성들에게 추앙을 받았을 뿐 아니라 적군의 장수에게도 존경을 받았다고 합니다.

장군은 전장에서 피난민을 만나면 으레 말에서 내려 노약자나 노인들의 손을 잡고 개유(開諭 ; 타이르는 말)를 아끼지 않았습니다. 그런 장군이 사망한 뒤 영구(靈柩)를 충남의 아산(牙山)으로 모셔올 때 백성들과 선비들이 울부짖으면서 인사를 올렸는데, 천 리 길에 끊어지지 않았다고 합니다.

장군을 철천지원수(徹天之怨讎)로 여겼던 왜 수군 장수 와키자카 야스하루(脇坂安治)는 이렇게 칭송을 했습니다.

"내가 제일로 두려워하는 사람은 이순신(李舜臣)이며, 가장 미운 사람도 이순신이고, 가장 좋아하는 사람도 이순신이며, 가장 흠모하고 숭상하는 사람도 이순신이다. 가장 죽이고 싶은 사람도 이순신이고, 가장 차를 함께 마시고 싶은 사람도 이순신이다."

이는 여러 차례 참담한 패배를 당했던 와키자카 야스하루가 그의 후손에게 남긴 말입니다. 적군도 감화시켰던 장군의 인격을 엿볼 수 있는 장면입니다.

결론입니다

구약성경에 등장하는 이스라엘의 명장(名將) 다윗과 우리나라의 성웅 이순신, 이들 리더십의 공통점이 이처럼 다 같습니다. 그 역시 원칙을 향한 진(眞, 진리)과 자기의 수하 사람들을 포용하는 자비(惠, 은혜)로서의 '공감리더십'을 나타냅니다. 남을 다스리기 전에 자신에게 엄격(眞)하고 자신이 먼저 변화(進)하며 성심을 다함(盡)에 있었다고 할 것입니다. 장수의 진심이 휘하에 제대로 전달되었을 때, 부하들은 목숨을 바치는 것을 아까워하지 않게 됩니다.

다윗은 제대로 된 교육도 받지 못하였습니다. 그럼에도 불구하고 견고한 왕국을 세우는 왕이 되었습니다. 그렇게 된 것은 그의 리더십이 빚어낸 부하들의 탁월한 충성심 때문이었습니다.

성경에서 중복되어 기록된 것들은 대단히 중요한 내용들입니다. 역대상 11:15-19에 나오는 내용은 사무엘하 23:13-17에도 자세하게 기록되어 있습니다. 이것은 다윗에게 영원히 잊을 수 없었던 사건이었기 때문이라 할 것입니다. 다윗의 용맹한 장수들이 보여준 충성은 오늘 우리에게도 참된 리더십의 전형을 보여준다 할 수 있습니다.

다윗은 오랜 전투의 피로감에 시달렸습니다. 그래서 고향 베들레헴 근처의 우물에서 길은 물을 먹고 싶었습니다. 그것은 작은 푸념 같은 것이었습니다. 그런데 그 푸념이 충성된 부하의 귀에 들어갔습니다. 그러자 그의 소원이 충성된 용사들의 마음에 강렬한 열정으로 타올랐습니다. 하지만 그 물을 길으려면 블레셋(지금의 팔레스틴) 군대의 진영을 뚫고 지나가야 할 만큼 목숨을 건 일이었습니다. 그런데 부하 셋이 그 일을 감행하기로 결의합니다. 그리고 실행합니다. 온몸에 선혈이 낭자한 상태로 왕 앞에 가져온 물, 목숨과 바꾼 그 물을 다윗은 마시지 않고 그것을 여호와께 드린다고 하면서 땅에 쏟아버립니다. 그 물은 용사들의 피와 다름없다는 것을 알기 때문이었습니다. 그래서 마냥 기뻐하고 마실 수만은 없는 일이었습니다. 다윗은 은혜와 진리가 충만하였던 사람이었습니다.

하나님 아버지!

세상을 창조하실 때와 인자와 진리로 만드심을 감사드립니다. 하나님은 지금도 예수님의 성품을 닮은 다윗 같은 사람, 이순신 장군같은 사람들이 되기를 원하시고 계십니다. 말씀과 기도로 거룩하여져서 성경의 위대한 인물들을 닮게 하여 주옵소서.

예수님의 이름으로 기도드립니다. 아멘!

모든 관계의 시작

The beginning of all relationships

(말씀 _ 10)

| 롬 4:20-25 |

믿음이 없어 하나님의 약속을 의심하지 않고 믿음으로 견고하여져서 하나님께 영광을 돌리며 약속하신 그것을 또한 능히 이루실 줄을 확신하였으니 그러므로 그것이 그에게 의로 여겨졌느니라. 기록된 것은 아브라함만 위한 것이 아니요 의로 여기심을 받을 우리도 위함이니 곧 예수 우리 주를 죽은 자 가운데서 살리신 이를 믿는 자니라 예수는 우리가 범죄한 것 때문에 내줌이 되고 또한 우리를 의롭다 하시기 위하여 살아나셨느니라.

외울 말씀

"복음에는 하나님의 의가 나타나서 믿음으로 믿음에 이르게 하나니 기록된 바 오직 의인은 믿음으로 말미암아 살리라 함과 같으니라."(롬 1:17)

관련 동영상

티보잉

요한 복음 3장 16절

팀 티보우 열풍

혹시 팀 티보우에 대해 들어보셨나요? 사람들은 그를 '요한복음 3장 16절의 기적'이라고 합니다. 팀 티보우(Tim Tebow)는 미식축구선수입니다. 그는 경기에 앞서 '왕 앞에 무릎 꿇은 듯한 자세'의 티보우 식 기도를 합니다. 사람들은 그의 기도를 '티보잉(Tebowing)'이라고 합니다.

티보우는 대학 시절 '스포츠 선교사'란 별명을 얻었을 정도로 하나님을 열심히 믿었습니다. 그것은 그가 경기에 임할 때마다 'John 3:16'이라 기록한 아이패치를 눈밑에 붙이고 있었기 때문입니다.

티보우는 NFL 덴버 브롱코스에 입단한 후 규정에 따라 아이패치가 금지되자, 경기 시작 전과 중간에 한쪽 무릎을 꿇고 기도하는 모습으로 하나님을 알리기 시작했습니다. 그 기도 동작을 언론은 '티보잉'으로 불렀으며, 티보우의 트레이드 마크가 됐습니다.

그는 필리핀 선교사 부부의 아들로 태어났습니다. 학생 시절 홈스쿨링으로 고등학교까지 마친 티보우. 동네 미식축구에서 두각을 나타내어 플로리다 대학팀으로 가게 됩니다. 2010년 티보우는 프로팀인 덴버 브롱코스에 입단합니다. 그를 향해 기대와 비아냥이 계속되었습니다. 무릎을 꿇고 예수님께 감사를 드리기를 수십 번. 역전승이 계속되면서 팀은 2011 플레이오프에 진출하게 됩니다.

2012년 1월 8일 결승전으로 가는 관문에서 만난 강팀 '피츠버그 스틸러스'와의 대결에서 3쿼터, 23 대 23 동점인 상황에서 연장전이 치러졌습니다. 대학리그 때부터 아이패치 '요한복음 3장 16절'을 알렸던 티보우는 전문가들이 약하다고 지적한 '패싱'으로 터치다운을 성공해 4쿼터 역전승을 다시 이루게 됩니다. 이 날의 경기 시청률은 31.6%였다고 합니다. 요한복음 3장 16절과 같은 숫자의 시청률이었습니다. 만약 그가 프로로 가기 원했다면 대학 1학년을 마치고도 갈 수 있는 실력이었습니다. 하지만 그의 삶의 목적은 부와 명예가 아니었기에 거절했습니다. 대학 3학년 때, 어느 기자가 "프로로 갈 것이냐, 어떤 계획이 있느냐?"고 물었습니다. "내 주님과 의논해 봐야지요. 그 분이 하라는 대로 할 겁니다."가 그의 대답이었습니다.

For God so loved the world
that he gave his one and only Son
that whoever believes in him
Shall not die but have eternal life
John 3:16

언론은 물론 풋볼선수들과 주위의 많은 사람들까지도 티보우의 '공개적인 신앙 표현'을 비난하기도 했습니다. 그들은 '자신을 띄우기 위한 가증스런 쇼'라고 비난도 했습니다.

이러한 비난에 대해 그는 이렇게 말했습니다.

"예수 그리스도는 풋볼뿐만 아니라 저의 인생 전부를 이끈 원동력입니다. 바로 제 삶에서 가장 중요하다고 느끼는 예수님과 저와의 관계입니다. 저는 그 분을 사랑한다고 말할 기회가 있을 때마다, 또는 전국적으로 방송되는 TV 앞에서 그렇게 외칠 기회가 주어질 때마다, 그 기회를 감사함으로 받아들일 겁니다. 그것이야말로 저를 구원하신 주님을 전할 수 있는 최상의 방법입니다."

디모데(Timothy)라는 이름의 팀(Tim은 Timothy의 약자) 티보우는 학교도 다니지 않고 홈스쿨링으로 교육을 받았지만 독실한 기독교인으로 성장했습니다. 방학 동안에는 단기선교사로 필리핀을 방문해 고아원 사역과 여러 가지 봉사활동을 하기도 했습니다.

약속이 없이는 믿음도 없다

뉴욕 시의 한 곳에서 한 소년이 혹독한 추위와 굶주림으로 얼어 죽게 되었습니다. 어떤 순경이 지나가다가 그 모습을 보고 걸음을 멈추었습니다. 그리고 그 불쌍한 소년을 어느 집 대문 앞으로 인도하였습니다.

"이 초인종을 누르거라? 할머니가 나와서 누구냐고 하면 아무 소리 말고 요한복음 3장 16절을 외우거라?"

그렇게 말하고는 그 구절을 한참 동안 가르쳐주고 외우는 것을 보고 그 순경은 떠났습니다. 그 소년은 아저씨가 가르쳐준 대로 할머니가 대문을 열자마자 소리 내어 가르쳐준 성경을 외웠습니다.

"하나님이 세상을 이처럼 사랑하사 독생자를 주셨으니 이는 저를 믿는 자마다 멸망치 않고 영생을 얻게 하려 하심이니라."

그렇게 순경에게 배운 대로 암송하였습니다. 소년의 목소리는 찬바람을 타고 낭낭하게 사방에 울렸습니다. 이윽고 할머니가 말합니다.

"어서 들어오너라."

할머니는 아무것도 묻지 않고 소년의 냄새나는 옷을 벗겼습니다. 그리고 목욕을 시키고 새 옷을 갈아 입혔습니다. 잠시 후 사람들이 인도하는 식탁으로 가니 먹을 것이 가득했습니다.

"난생 처음 먹어 보는 음식이에

요!"

소년은 너무 감격에 겨워 배가 터질 듯이 음식을 먹었습니다.

할머니는 소년에게 잠잘 방을 주며 편안히 자도록 배려해 주었습니다. 그 거지 소년은 궁금해서 아침이 되자 물었습니다.

"할머니, 요한복음 3장 16절이 뭐예요?"

할머니께서는 대답해 주었습니다.

"예수님이 십자가를 지셨는데, 우리 인류를 사랑하고 너를 사랑하기 때문에 주님이 우리의 죄를 대신해 십자가를 지신 것이란다."

이렇게 설명해 주시는 것이었습니다.

"아, 그렇구나! 할머니, 그러면 저도 예수님을 믿을 수 있나요."

이렇게 말하자 그 할머니는 친절히 대답합니다.

"그래, 그 분은 세상을 사랑하셨는데, 그 세상 안에 너도 포함되지."

라고 다정하게 대답합니다. 그러자 거지 소년은 이렇게 말했습니다.

"저도 사랑하신다는 것을 어떻게 믿어요?"

"하나님은 그것을 성경에 기록해 놓고 약속하셨기 때문이지. 성경은 이 세상 사람들에게 주어진 약속의 문서란다. 네가 외웠던 요한복음 3장 16절은 그 약속을 한 마디로 압축한 요약 문장이지. 약속을 믿는 자에겐 효력이 주어지고, 믿지 않는 자에겐 어떤 효력도 없지!"

"그러면 저도 그 약속을 믿겠어요."

하나님이 세상을 이처럼 사랑하사
독생자를 주셨으니 이는 저를 믿는 자마다
멸망치 않고 영생을 얻게 하려 하심이라
(요 3:16)

"그래! 그러면 그 약속을 믿는다는 표시를 해야 한단다."

"표시를 어떻게 해야 하죠?"

"요한복음 1장 12절이지."

"요한복음 1장 12절은 또 어떤 약속이죠?"

"따라 외워 보거라!"

"네!"

"영접하는 자 곧 그 이름을 믿는 자들에게는 하나님의 자녀가 되는 권세를 주셨으니."

할머니가 외워 읽어주시는 말씀을 이번에도 외웠어요.

"영접하는 자 곧 그 이름을 믿는 자들에게는 하나님의 자녀가 되는 권세를 주셨으니"

"잘했다. 이 구절대로 너는 예수님을 마음에 모시겠다고 영접해야 한다. 그러면 영접하는 자는 어떻게 된다고 했느냐?"

"하나님의 자녀가 된다고 하셨어요!"

"맞다! 누구든지 하나님의 약속을 믿고 예수님을 마음에 영접하면 그 사람은 하나님의 자녀가 되어 하나님의 사랑을 받고 살아가는 것이란다."

"아! 네!"

소년은 그날 아침 예수님을 영접했고, 그 후 그 할머니의 집에 기거하면서 보살핌을 받았습니다. 세월이 지난 후 그 거지 소년은 뉴욕에 꽤 큰 침례교회 목사님이 되어 많은 사람들에게 하나님의 약속을 전하고 믿게 하여 구원을 받게 하였습니다.

약속과 신념

사랑하는 여러분!

하나님은 세상을 이처럼 사랑하십니다. 이 세상 안에 여러분이 포함되어 있습니다. 하지만 이 믿음은 어떤 것을 된다고 믿는 신념과는 다릅니다. 간절히 원하면 이루어진다는 것은 신념입니다. 그것을 '긍정의 힘'이라고 합니다. 하지만 성경이 말하는 믿음은 간절히 원하는 것, 마음을 강하게 먹는 것과는 차원이 다릅니다. 성경이 말하는 믿음은 어떤 근거를 믿는 것을 말합니다. 즉 약속이 있을 때, 그 약속을 따를 것이냐, 아니면 따르지 않을 것이냐를 결정하는 것을 말합니다. 하나님에 대한 믿음이란 약속으로 주어진 성경을 믿느냐 아니냐의 문제입니다. 즉 약속이 있을 때 믿음이 성립하는 것이지 약속이 없을 때 믿는 것은 믿음이 아니라 자기 최면이 될 따름입니다.

믿음은 하나님의 진리와 은혜로 주시는 말씀의 약속을 믿는 것입니다. 아무런 근거도 없이 잘 될 거라고 긍정적으로 생각하는 것은 믿음이 아닙니다. 그렇게 긍정적으로 생각하는 것을 신념이라고 합니다. 그래서 성경은 말씀의 약속을 예수님 이전과 이후를 나누어 옛날의 약속이라는 말로 구약, 새로운 약속이라는 말로 신약이라고 합니다.

그러면 구약의 약속과 신약의 약속의 공통점은 무엇일까요? 그것은 "우리는 모두 양 같아서 각기 자기가 원하는 길로 가므로 죄와 죽음의 길에 놓여 있다"는 겁니다. 하지만 길 잃어 죽음에 놓인 우리를 위해 예수님은 우리의 죄를 다 짊어지고 대신 죽음으로써 우리의 죄를 다 용서하여 새로운 생명을 주신다는 약속입니다.

사랑하는 어린이 여러분!

여러분은 하나님의 언약을 믿고 있습니까? 우리를 죄와 사망과 영원한 지옥 형벌에서 건져 주시겠다는 언약, 우리를 하나님의 자녀 삼아 주시고 친히 우리의 아버지가 되어 주시겠다는 언약, 그리고 우리에게 영원한 하늘나라를 기업으로 주시겠다는 언약을 얼마나 굳게 신뢰하고 있는지요?

약속을 믿는 것

"2001년 첫 영업일에 이 광고 전단을 가져오시면 10년간 기다려 주신 감사의 표시로 선물을 드립니다."

2001년 1월 2일 일본 오카다야 모아즈 백화점의 요코하마, 가와사키 두 곳 점포에는 이같은 문구가 쓰여진 광고 전단을 들고 온 사람들로 가득 붐볐습니다.

이 전단은 10년 전인 1991년 백화점 측이 신문의 신년호에 끼워 돌린 광고 전단 문구였습니다. 이 날 10년 전의 약속을 기다리며 두 곳의 백화점을 찾은 사람은 모두 1,200여 명이나 되었다고 합니다. 백화점 측은 광고 전단을 들고 온 고객들에게 약속대로 그림접시 시계를 선물했으나, 준비했던 선물이 동나자 나중에 우편으로 보내주기로 다시 약속하고 대신 1,000엔짜리 상품권과 과자를 사과의 뜻으로 선물했다고 합니다. 광고 전단을 들고 온 고객 중에는 약속된 날짜를 잊지 않기 위해 다양한 방법을 쓴 사람도 있었다고 합니다.

"액자에 넣어 보관해 왔다."

"주방에 붙여 놓고 매일 쳐다봤다."

"수첩에 넣어 다녔다."

등등 많은 사람들이 10년 약속을 기억하는 방법을 이야기했습니다. 일개 백화점에서 상술로 한 약속도 굳게 믿고 10년을 하루같이 광고 전단을 간직하며 살았다고 합니다.

결론입니다

성경은 말씀합니다. “하느님께서는 사람처럼 거짓말하실 리도 없고 사람의 아들처럼 변덕을 부리실 리도 없으시다.(공동 번역)”

믿음은 약속할 때만 생길 수 있는 것입니다. 믿음은 서로가 서로에 대한 약속을 하였을 때만 가능한 인격적인 행동입니다. 인격적인 행동이란 짐승이 아닌 생각과 감정과 의지가 있는 인간만이 할 수 있는 행동이란 뜻입니다. 우리 사람이 인격인 이유는 하나님이 인격을 갖고 계시기 때문입니다. 아무리 강아지를 사랑해도 강아지와는 약속이나 인격적인 관계를 가질 수 없는 이유는 짐승들은 생각을 할 수 없기 때문입니다. 그래서 약속을 할 수도 없고, 약속을 지킬 수도 없습니다.

하나님은 이 세상에 수많은 동물들을 창조하셨지만 오직 사람하고만 이야기하시고 교제하시며 약속을 하십니다. 이것을 ‘코이노니아(koinonia)’라고 합니다.

코이노니아를 형성할 수 있는 가장 기초는 바로 믿음입니다.

믿음을 주시는 하나님!

때때로 작고 사사로운 일에 서로를 못 믿고 의심을 하는 나의 모습을 봅니다. 사탄이 주는 불신을 과감히 떨쳐버릴 수 있는 믿음을 갖고 늘 주님을 찾는 자가 되게 하여 주옵소서.

예수님의 이름으로 기도드립니다. 아멘!

인격적 만남의 기초

The Basis of Personal Meeting

(말씀 _ 11)

본문 요 1:16-20

내가 복음을 부끄러워하지 아니하노니 이 복음은 모든 믿는 자에게 구원을 주시는 하나님의 능력이 됨이라 먼저는 유대인에게요 그리고 헬라인에게로다 복음에는 하나님의 의가 나타나서 믿음으로 믿음에 이르게 하나니 기록된 바 오직 의인은 믿음으로 말미암아 살리라 함과 같으니라. 하나님의 진노가 불의로 진리를 막는 사람들의 모든 경건하지 않음과 불의에 대하여 하늘로부터 나타나나니 이는 하나님을 알 만한 것이 그들 속에 보임이라 하나님께서 이를 그들에게 보이셨느니라. 창세로부터 그의 보이지 아니하는 것들 곧 그의 영원하신 능력과 신성이 그가 만드신 만물에 분명히 보여 알려졌나니 그러므로 그들이 핑계하지 못할지니라.

외울 말씀

"내가 복음을 부끄러워하지 아니하노니 이 복음은 모든 믿는 자에게 구원을 주시는 하나님의 능력이 됨이라 먼저는 유대인에게요 그리고 헬라인에게로다."
(롬 1:16)

관련 동영상

불의전차

믿음-신뢰의 기초

믿음은 약속이라는 기초가 있어야

사탄은 우리의 마음에 불신을 심어주어 우리를 파멸시킵니다. 그러나 우리가 믿음을 가지고 주님을 의지하면 우리의 삶은 풍성해집니다.

"저는 주일에는 뛰지 않습니다."

이 말로 '불의 전차'라는 별명을 얻은 육상선수가 있습니다. 누구일까요? 그의 이름은 에릭 리들. 그는 영국 국가 대표 육상선수로서 1924년 제8회 파리올림픽대회의 금메달 후보였습니다. 그러나 100m 경기 일정이 발표되었는데, 첫 예선 일자가 7월 6일 주일 오후 3시와 5시였습니다.

그는 그 일정을 보자마자

"저는 주일에는 안 뜁니다."

라고 단호한 결정을 단장에게 말했습니다. 영국 올림픽팀 단장은 그 말을 듣고 너무나 기가 막혀 말했습니다.

"에릭! 이게 무슨 말이야? 주님은 우리 영국이 우승하여 세계에 그 명성을 알리시길 원해!"

"아닙니다. 주님은 제가 말씀의 약속을 지키기를 더 원하십니다."

"자네는 강력한 금메달 후보야! 이 자리까지 오기 위해 얼마나 많은 세월 땀을 흘렸나! 그런데 이러면 어떻하냐?"

"제가 주일에 뛰지 못해 금메달을 따지 못한다면 주님은 다른 것으로라도 저에게 보상을 해 주실 겁니다."

그의 이러한 결정은 어느 누구도 이해하지 못하는 이변이었습니다.

하지만 에릭 리들의 100m 출전 포기를 들은 영국 전체의 반응은 냉소적이었습니다.

그를 가리켜

"편협하고 옹졸한 신앙인."

"신앙을 소매 끝에 달고 다니는 신앙심 깊은 척하는 위선자."

"조국의 명예를 버린 위선자."

라는 비난들이 쏟아졌습니다. 신문과 방송은 연일 그를 조롱했습니다.

그러나 에릭 리들은 그러한 냉소적인 비난에 전혀 굴하지 않고 100m 예선 경기를 하던 7월 6일 주일에는 스콧트 커크(Scots Kirk)교회에서 간증 설교를 하였습니다. 그날 에릭 리들은 경기장

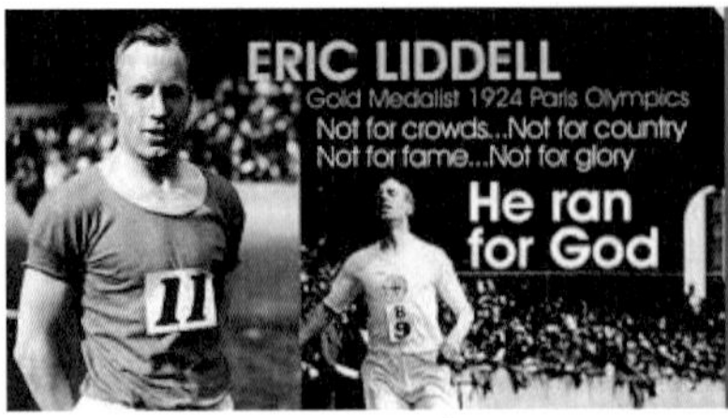

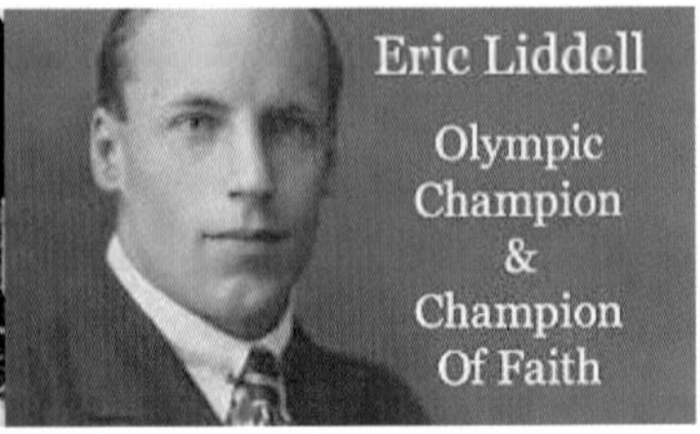

에 나가서 동료들을 격려하는 일도 하지 않고 평소처럼 교회에서 성도들을 섬기며 그날을 온전히 하나님께 드렸습니다.

100m 경기에서는 영국의 헤롤드가 금메달을 목에 걸었습니다. 그의 기록은 에릭보다 약간 뒤졌습니다. 에릭 리들은 기쁜 마음으로 헤롤드의 우승을 축하해 주었습니다. 하나님은 에릭 리들을 버리지 않으셨습니다. 며칠 뒤 에릭 리들은 자신의 주종목이 아닌 200m에 출전하기로 했습니다.

"에릭 달려! 달려!"

결국 200m에서 동메달을 땄습니다. 이윽고 400m에도 출전하려고 하였습니다. 그런데 사실 400m에서는 다른 선수들의 들러리에 불과했습니다. 예선에서 스위스의 임바흐, 미국의 피치 등의 선수들은 세계 신기록을 세우면서 우승 후보로 각광을 받았습니다. 드디어 결승전 날이 왔습니다. 에릭 리들은 신들린 사람처럼 무서운 속도로 첫 코너를 돌았습니다.

경기를 지켜보던 전문가들은 말했습니다.

"에릭이 저런 속도를 유지하다가는 도중에 쓰러져 죽을지도

모릅니다. 여러분, 잘 지켜보아 주세요!"

서로가 불안감을 표현하였습니다. 하지만 그날 에릭 리들은 임바흐, 피치 등의 우승 후보를 제치고 47초 6이라는 세계 신기록을 세웠습니다. 결국 영국 선수로는 처음으로 금메달을 목에 걸었습니다. 많은 사람들이 감동했습니다.

그날 결승전에 출전하게 되었을 때 안마사는 에릭의 손에 작은 쪽지를 쥐어줬습니다. 그런데 놀라운 일이 일어났습니다. 그 쪽지가 응답되었던 것입니다.

"In the old book it says, 'He who honouse me-I will honour' Best wishes always."

"구약에 이런 글이 있네. '나를 귀하게 여기는 자를 나도 귀하게 여기리라.' 최선의 영광이 있기를 빌면서."

후일 그는 400m 우승의 비결을 묻는 기자들에게 이렇게 답하였습니다.

"처음 200m는 제힘으로 최선을 다했고, 나머지 200m는 하나님의 도우심으로 빨리 달릴 수 있었습니다."

하나님은 기록된 성경의 약속을 믿는 자들에겐 그 약속을 지키십니다. 그러나 그 약속을 믿지 않는 자에겐 안타깝게도 약속을 지키실 수가 없습니다. 약속은 서로가 인격적으로 동등할 때 할 수 있는 인격적인 행동이기 때문입니다. 주인이 종을 부릴 때는 약속을 하는 것이 아니라 명령을 합니다. 짐승에게도 약속이 아닌 명령을 내립니다. 하나님이 우리에게 약속의 성경을 주신 것은 우리를 하나님과 동등한 권리로 대우해 주시는 겁니다. 인격과 인격이 만날 때, 그곳에서 약속이 지켜집니다.

친구를 사귈 때도 한두 번의 약속을 어기는 친구는 친구라고 할 수 없습니다. 약속과 믿음은 서로가 서로를 존중하는 인격체가 될 때 가능한 것임을 꼭 기억하시기 바랍니다.

믿음의 반대는 배신

믿음의 반대는 불신이 아닙니다. 믿음의 반대는 '배신'입니다. 우리는 왠지 배신을 쉽게 여기는 사회에 살고 있습니다. 세상은 믿음, 즉 약속의 신뢰로 세워집니다. 배신은 사탄의 속성으로 마귀 왕국의 무기입니다. 하나님의 나라는 믿음, 즉 약속에 대한 굳센 신뢰로 세워진 나라입니다. 그래서 자주 배신하는 사람은 결코 천국에 들어갈 수 없습니다. 배신자는 마귀가 좋아하는 성품이기 때문에 그가 있는 곳, 지옥으로 가게 됩니다.

옛날 어느 곳에 오래된 고목이 한 그루 서 있었습니다. 너무나 큰 이 나무 위에는 매들이 날아와 둥지를 짓고 새끼를 기르고 있었고, 나무 밑에는 산돼지들이 새끼를 기르며 살고 있었습니다. 매들이 떨어뜨리는 나뭇잎과 찌꺼기들은 밑에 있는 돼지들의 먹이가 되었고, 돼지들의 찌꺼기는 매의 먹이가 되었으므로 이들은 서로 공생하며 평화롭게 살았습니다.

이들 사이를 샘을 낸 여우가 이들을 갈라 놓기 위해 한 가지 꾀를 생각해 냈습니다. 여우는 곧장 매에게로 달려가 배신할 것을 유혹합니다.

"나무 밑에 있는 돼지들은 너희 매를 잡아먹으려고 매일 나무 밑둥을 갉아 먹고 있단다. 얼마 못가서 나무가 쓰러지면, 네 새끼들은 떨어져서 돼지의 밥이 될 것이야. 이따금 나무가 심하게 흔들리지 않던? 그게 바로 밑둥이 넘어지려는 징조야!"

그리고 이번에는 돼지에게로 달려가서 말합니다.

"나무 위에 있는 매들은 너희 돼지 새끼들을 잡아먹으려고 항상 기회만 노리고 있단다. 어미 돼지가 먹이를 구하러 멀리 가면 그때 새끼를 잡아 먹기 위해 이따금 어미매가 내려와서 너희 집을 기웃거리며 먹이를 찾지 않던? 그게 바로 매가 새끼를 노릴 때란 말이야."

이렇게 말했습니다. 이때부터 매와 돼지는 서로 배신할 때를 노리게 되었습니다. 그러니 아무도 서로를 믿지 못하게 된 것입니다. 매는 모이를 구하러 나갈 수가 없었습니다. 혹시 나간 사이에 나무가 쓰러져 새끼들이 돼지에게 잡혀 먹힐 것을 생각하니 꼼짝 못하고 항상 새끼를 지키고 있었습니다. 이는 돼지도 마찬가지여서 먹이를 구하러 가지 못한 채, 매와 돼지는 서로 경계하면서 새끼들만 지키고 있었습니다. 결국 매도 돼지도 굶주려서 죽고 말았습니다.

결론입니다

사랑하는 여러분!

약속을 하여 지켜본 적이 있나요? 아님 약속을 했는데 지켜지지 않은 적은 있나요? 또 믿었는데 배신을 당해 본 적은 있나요? 신앙의 믿음은 성경의 약속을 믿는 것으로 시작됩니다. 사람과의 친한 관계는 서로 약속을 하고 지키는 것으로 나타납니다. 여러분은 약속을 하면 꼭 지켜야 한다고 생각하나요? 아님 불리할 땐 지키지 않아도 된다고 생각하나요?

저는 여러분들이 정말 믿음의 사람들이 되었으면 좋겠어요. 지키기 힘들어도, 불리한 상황이 되어도 한 번 약속했으면 지킬 줄 아는 사람이 될 때 여러분은 믿음의 사람이 됩니다. 저는 여러분들 모두 믿음의 완성에 다다르는 분들이 되기를 진심으로 축원합니다.

믿음에 대상이신 아버지 하나님!

저희들은 믿음보다 불신에 강하고, 믿음의 약속보다 배신에 더 가까운 마음을 가지고 있습니다. 저희들은 이것이 원죄가 아닌가 생각합니다. 사탄은 스스로 하나님을 배신하고, 그리고 우리들도 하나님을 늘 배신하도록 우리를 유혹합니다. 그리고 사람과의 사이에서도 이기심을 따라 작은 약속도 배신하도록 만드는 것을 봅니다. 저희로 진정한 인격자가 되게 하시어, 약속을 지키고 이루는 자가 되게 하여 주옵소서.

예수님의 이름으로 부탁드립니다. 아멘!

동행하며 마음을 아는 것

To accompany and to know the heart

(말씀 _ 12)

| 본문 12:5-6 |

믿음으로 에녹은 죽음을 보지 않고 옮기웠으니 하나님이 저를 옮기심으로 다시 보이지 아니하니라. 저는 옮기우기 전에 하나님을 기쁘시게 하는 자라 하는 증거를 받았느니라. 믿음이 없이는 기쁘시게 못하나니 하나님께 나아가는 자는 반드시 그가 계신 것과 또한 그가 자기를 찾는 자들에게 상 주시는 이심을 믿어야 할지니라.

외울 말씀

"믿음으로 에녹은 죽음을 보지 않고 옮기웠으니 하나님이 저를 옮기심으로 다시 보이지 아니하니라 저는 옮기우기 전에 하나님을 기쁘시게 하는 자라 하는 증거를 받았느니라."(히 11:5)

관련 동영상

태풍 동행

동행

좋은 성품을 가지면 자동적으로 리더가 된답니다. 왜냐면 대부분의 사람들은 자신들의 마음이 건강하지 않기 때문에 항상 좋은 리더를 바라고 원하고 있습니다.

하지만 리더가 되는 사람은 항상 겸손해야 하며, 또 기억해야 할 것이 있습니다. 그중 중요한 사실은 일이 목적이 되어서는 안 된다는 것입니다. 목표나 목적보다는 사람이 더 중요하다는 것을 잊지 말아야 진정한 영웅이 됩니다. 그렇다고 해서 풍전등화와 같은 국가적 위기가 올 때 인정에 치우치라는 말은 아닙니다. 하지만 이런 이야기를 들으면 무엇이 우선 순위인지 알게 될 것입니다.

옛날 독일의 어떤 마을에서는 해마다 겨울이면 얼음 축제를 열었습니다. 온 마을 사람들이 꽁꽁 언 강의 얼음판 위에 천막을 쳐 놓고 유흥을 즐겼어요. 그런 어느 축제의 날 밤이었습니다. 밝은 달이 두둥실 떠올라 얼음판을 비췄어요. 교교한 달빛 아래 마을 사람들 모두가 흥겨워하고 있었지요. 그런데 오직 혼자 사는 늙은 할머니 한 분만이 강

둑에 있는 오막살이에 남아 멀리 사람들을 바라보고 추억에 잠겨 있었습니다.

그 할머니는 오래 전에 남편을 바다에서 잃었고 사랑하는 아들마저 병마에 빼앗긴 불쌍한 사람이었습니다. 할머니는 멀리서나마 축제의 광경을 바라보면서 남편과 아들이 살아 있던 때의 행복했던 축제날을 추억하며 향수에 젖어 있었답니다. 그런데 그때, 갑자기 서쪽 하늘의 작은 구름이 수평선 너머로 점점 커져 피어져 오르는 것이 보였습니다. 순간 엄청난 두려움이 할머니를 엄습했습니다.

"어! 아닌데! 저 구름이 몰려오면 돌풍이 부는데, 어쩔꼬!"

할머니는 뱃사공의 아내였으므로 누구보다도 물을 잘 알고 있었고, 바람과 구름에 따라 날씨를 가늠할 수 있었어요. 더구나 바다에서 남편을 잃은 후 날씨를 보는 눈은 더욱 정확해져 틀려본

적이 없었습니다.

'이건 틀림없이 무서운 폭풍의 조짐이다. 사람들이 위험해!'

위험을 눈치챈 할머니는 미친 듯이 손을 흔들었습니다. 그리고 목이 터져라고 소리를 쳤습니다.

"얼른 나와요! 태풍이 와요!!!"

"얼른 나와요! 돌풍이 와요!!!"

그러나 아무도 그 소리를 듣지 못하고 유흥에만 취해 있었어요. 구름은 눈 깜짝할 사이에 커져 곧 큰비를 몰고 올 것이 분명했습니다. 정말 숨막히는 시간이었습니다. 만일 얼음판 위에서 30분, 아니 10분만 더 머물러도 마을 사람들은 모두 강물 속으로 잠길 것이 틀림없었습니다.

"아! 아! 이를 어쩌나! 빨리 알려야 하는데 몸을 움직일 수 없으니........"

할머니의 가슴은 안타까움에 겨워 바싹바싹 타들어 갔습니다. 할머니는 오래 혼자 살아 왔고 병이 깊어 몸 반쪽을 조금도 움직이지 못했기 때문에 그 안타까움은 더욱 컸답니다. 그렇다고 마냥 안타까워하고만 있을 수 없었지요. 위험은 촌각(寸刻)을 다투며 닥쳐오고 있는 것이 점점 더 눈에 들어왔기 때문입니다.

그때 생각다 못한 할머니는 죽을 힘을 다하여 난로가로 갔습니다. 거기서 장작불을 꺼내 침대에 불을 붙였습니다. 그리고는 기어서 문밖으로 빠져나왔어요. 이윽고 뱀의 혓바닥같은 불꽃이 창문밖으로 치솟았고, 이윽고 지붕 위로 옮겨 붙었습니다. 불은 불어오는 바람을 타고 활활 타올랐지요.

"부, 불이야! 불이야!"

"강둑에 혼자 사시는 할머니 댁에 불이 났다."

얼음판 위에서 놀던 사람들은 깜짝 놀라 그렇게 소리치며 강둑으로 달렸습니다. 모든 마을 사람들이 할머니의 오막살이집 불을 끄기 위해 달려 나왔던 것입니다.

그때 갑자기 세찬 바람이 얼음판 위를 몰아쳤어요. 얼음 밑에서는 '꽝'소리와 덜거덕거리는 소리가 요란하게 울렸습니다. 그리고 검은구름이 온 하늘을 덮으며 폭우와 함께 번개가 일며 천둥이 쳤답니다. 불타오르는 할머니의 집은 마치 등대불처럼 얼음판을 빠져나오는 마을 사람들의 발길을 환하게 비춰주었습니다. 사람들이 모두 강둑에 올라서고, 마지막 사람이 강둑에 막 다다랐을 때였습니다. 얼음판 위로 집채만한 큰물이 파도처럼 밀려와 천막을 비롯한 집기들을 순식간에 삼켜버렸습니다.

"휴, 저 불이 아니었으면 우린 모두 다....."

할머니는 자기 전 재산인 오막살이집을 바쳐 온 마을 사람들의 목숨을 건진 것이었습니다.

천기는 알면서

우리는 이 이야기에서 두 가지 지혜를 배울 수 있습니다.

예수님은 이 세상이 진리를 알기에 결코 부족하지 않다고 말씀하십니다. 즉 하나님을 알 만한 것이 이 세상에 가득하다고 하신 겁니다. 그중의 하나가 날씨입니다.

마 16:3에서 이렇게 말씀합니다.

"너희가 천기(天氣)는 분별할 줄 알면서 시대의 표적(表跡)은 분별할 수 없느냐."

여기서 천기란 어떤 뚜렷한 법칙을 갖고 나타나는 하늘의 기상 변화를 뜻합니다. 지혜로운 농부는 천기를 따라 농사를 짓고, 지혜로운 어부는 천기를 따라 배를 띄웁니다. 이것을 분별할 수 있어야 일정한 법칙으로 움직이는 이 세상의 변화를 알게 됩니다.

세상은 하나님의 작품이기 때문에 하나님의 성품인 사랑과 정의로 창조되었습니다. 즉 은혜와 진리가 창조의 원리란 뜻입니다. 은혜의 법, 즉 사랑의 법은 모든 자연이 사랑을 품고 있고 또 사랑을 받을 때 더 아름다워진다는 원리입니다. 그리고 정의와 진리의 법이란 수학과 과학에서 밝혔듯이 모든 자연만물이 하나님이 설계하신 그대로 창조 때부터 지금까지 한 치의 오차도 없이 움직이고 있다는 것입니다. 그래서 자연을 자세히 관찰하면 그곳에서도 하나님의 존재와 약속을 발견할 수 있습니다.

바울 사도는 로마서에서 이렇게 말씀합니다.

"이는 하나님을 알만한 것이 저희 속에 보임이라 하나님께서 이를 저희에게 보이셨느니라 창세로부터 그의 보이지 아니하는 것들 곧 그의 영원하신 능력과 신성이 그 만드신 만물에 분명히 보여 알게 되나니 그러므로 저희가 핑계치 못할지니라"(롬 1:19-20)

그러나 그 무엇보다 예수님을 잘 알게 되면 하나님의 비밀인 은혜와 진리의 법칙을 알게 되고 영생의 비밀도 알 수 있다는 암시입니다.

사랑하는 여러분!

우리는 부모님을 오래 겪어 보았기 때문에 부모님의 마음을 알 수 있습니다. 때로는 부모님이 혼내는 말을 해도 그것이 결코 우리가 미워서 하는 이야기가 아니라는 것을 알고 있습니다. 우리는 부모님을 믿기 때문에 부모님을 따르고 부모님께 순종하는 것입니다.

마찬가지로 믿음이란 하나님의 마음을 알고 믿어드리는 것입니다. 그렇게 믿을 때 상호 존중이 일어납니다. 그것을 '코이노니아'라고 합니다. 코이노니아란 서로 사랑으로 하나 되는 깊은 믿음의 관계입니다.

믿음이 있어야 서로가 사랑하게 됩니다. 믿음이 있어야 친구가 됩니다. 믿음이 있어야 서로 약속을 하고 지키게 됩니다. 따라서 믿음은 모든 관계의 기초가 됩니다. 집을 지을 때 기초가 중요하듯이 서로 사랑하고 의지하기 위해서는 믿음이 중요합니다. 믿음은 모든 관계의 기초입니다. 믿음은 인격을 가진 사람만이 가질 수 있는 성품입니다.

결론입니다

천국에 가려면 하나님을 믿고, 십자가에서 나를 위하여 흘리신 예수님의 피를 믿어야 합니다. 부모님을 믿어야 부모님의 사랑을 받습니다. 친구 간에도 서로 믿어야 깊이 이해하는 사이가 됩니다. 나중에 결혼을 해도 부부가 서로 믿어야 화목하게 됩니다. 이처럼 믿음은 모든 관계의 기초가 됩니다. 우리 모두 믿음의 사람이 됩시다. 믿음은 하나님의 약속과 인격을 믿으며, 또한 사람들과의 약속과 인격을 믿는 것입니다.

기도

사랑의 하나님 아버지!

우리에게 믿음을 주시니 감사합니다. 하지만 약속을 하고서도 작고 사사로운 일 때문에 서로를 못 믿고 의심을 하는 나의 모습을 봅니다. 사탄이 주는 불신을 과감히 떨쳐버릴 수 있는 믿음을 갖고 늘 주님을 찾는 자가 되게 하옵소서.

예수님의 이름으로 기도합니다. 아멘.

떳떳한 양심의 힘

The Power of conscientious conscience

(말씀 _ 13)

본문 시 112:1-5

할렐루야, 여호와를 경외하며 그 계명을 크게 즐거워하는 자는 복이 있도다. 그 후손이 땅에서 강성함이여 정직자의 후대가 복이 있으리로다. 부요와 재물이 그 집에 있음이여 그 의가 영원히 있으리로다. 정직한 자에게는 흑암 중에 빛이 일어나나니 그는 어질고 자비하고 의로운 자로다. 은혜를 베풀며 꾸이는 자는 잘 되나니 그 일을 공의로 하리로다.

외울 말씀

"정직한 자에게는 흑암 중에 빛이 일어나나니 그는 어질고 자비하고 의로운 자로다."(시 112:4)

관련 동영상

리더 자질

양심

정직하면 언젠가 인정받는다

사탄의 역사가 인간 양심을 마비시킵니다. 후메내오와 알렉산더는 사탄에게 내어준 바 되었다고 합니다(딤전 1:20). 사탄은 양심부터 마비시킵니다.

사람은 천사도 아니고 그렇다고 짐승도 아닌 중간자라 할 수 있습니다. 양심이 마비되면 짐승이 되고 맙니다. 최후 발악을 하고 있는 사탄은 여러 가지 일을 획책하고 있습니다. 그 결과 지금도 보이지 않는 곳곳에서 흉악한 범죄가 저질러지고 있습니다. 사탄은 말씀과 기도로 물리칠 수밖에 없습니다. 그러므로 우리 그리스도인들은 언제나 말씀과 기도와 성령으로 무장해야 합니다.

양심은 해시계와 같다고 합니다. 해시계는 햇빛이 있어야 바른 시간을 가리킵니다. 우리의 양심도 마찬가지입니다. 우리의 양심은 성경 말씀이라는 밝은 빛을 받아야 비로소 올바르게 작동할 수 있습니다. 목적만 선하다면 수단이야 어떠하든 상관없다고 말하는 상황 윤리가 판을 치고 있는 요즘, 우리는 더욱 더 성경 말씀으로 무장되어 있어야 할 필요성을 강하게 느낍니다. 요즘 당신의 양심은 어떻습니까? 혹, 상황에 따라 적당히 타협하고 계시지는 않는지요? 악한 것은 모양이라도 버리라고 했습니다(살전 5:22).

추상욱 선생님이 쓰신《내 삶의 길가에 맑은 영혼들이》란 책에 이런 이야기가 나온답니다.

희망 소년관에 머물면서 구두닦이를 하는 주인공 영길이는 단골손님이었던 클라우드의 초대로 그의 집을 방문하게 되었습니다. 그런데 잠깐이면 나오겠다던 클라우드는 한참이 지나도록 나오지 않았습니다. 지루해진 그는 응접실 주변을 둘러보았습니다. 벽 한쪽에는 당시로서는 아주 귀한 고급 트랜지스터 라디오가 놓여져 있었습니다. 그런데 바로 그 밑에 금반지 2개와 돈 뭉치가 놓여 있는 게 아니겠습니까?

'아! 돈!'

짧은 탄성이 속에서 나왔습니다. 못 볼 것을 본 것처럼 급히 제자리로 돌아와 두근거리는 가슴을 진정시키느라 애썼습니다.

'음!'

가슴 저 밑바닥에서는 강렬한 유혹이 다가오고 있었습니다.

'저것만 있으면 대학까지 졸업할 수 있는 충분한 돈이 될 텐데….'

주위를 둘러보니 마침 아무도 없었습니다. 벌떡 일어나 주섬주섬 그 물건들을 주워 담기 시작했습니다. 이 물건들을 가지고 빨리 이 집을 빠져나가야겠다고 생각했습니다. 양심의 소리는 이미 사라진 지 오래였습니다. 그러나 잠시 뒤 그는 소스라치듯 놀랍니다.

'도둑질하지 말라'

십계명의 음성과 동시에 어머니의 슬픈 눈망울이 떠올랐습니다. 그순간 욕심은 사라지고 마음이 차분해졌습니다.

'휴우 ---우...'

그는 심호흡을 한 뒤 물건들을 제자리에 내려놓고 자기 자리로 돌아왔습니다. 잠시나마 남의 물건에 손을 대려 한 사실이 부끄럽게 느껴졌습니다. 그때 클라우드가 응접실 안으로 들어왔습니다.

그런데 그는 눈물을 글썽거리며 주인공의 손을 꼭 잡더니 이렇게 말했습니다.

"사실 나는 문 뒤에서 몰래 너를 지켜보고 있었단다. 과거에 내가 몇 번 한국인 고아들을 돕다가 많은 피해와 상처를 받았기 때문이지. 그런데 오늘 나는 성실한 너를 시험했다. 그런데 내가 너무 부끄럽구나. 유혹 받지 않는 영혼의 결단보다 유혹을 넘어서는 영혼의 결단이 더 아름다운 법이란다."

"죄송합니다. 부끄러운 모습을 보여드려서... 흑흑흑...."

"아니! 아니! 괜찮아! 앞으로도 유혹을 안 받을 수는 없지만, 이겨낼 수 있는 사람이 될 거라고 믿어."

"흑흑흑.."

클라우드는 흐느끼는 영길의 어깨를 감싸 안았습니다.

그날 이후 클라우드와 주인공 영길은 뗄래야 뗄 수 없는 인연을 맺게 되었고 많은 도움을 주고받게 되었습니다.

사람이라면 견물생심(見物生心 ; 물건을 보면 욕심이 생긴다)이라고 누구나 유혹을 받을 수 있습니다. 하지만 유혹을 넘어서기 위해서는 정직이라는 성품이 마음에 생겨야 합니다.

정직한 성품이 마음에 생긴 사람은 시험을 칠 때, 앞에 있는 친구의 문제지에 적힌 답이 빤히 보일지라도 유혹을 물리칩니다. 치팅(cheating)은 정직하지 않기 때문입니다.

숨기거나 속이지 말거라

단 한 번의 거짓말이 모든 정직을 삼켜버립니다. 우리는 친구들과 이야기할 때 장난으로라도 거짓말을 할 때가 있는데, 거짓

말을 하고 싶다면 차라리 입을 닫아버리기 바랍니다.

'소프트 파워'

소프트웨어는 들어보았어도 소프트 파워란 말은 처음 들었을 겁니다. 이 말은 미국 하버드대 조셉 나이 교수가 한 말입니다. 소프트 파워란 '사람의 마음을 끄는 힘'을 말합니다. 사람의 마음을 움직여 원하는 것을 얻는 능력이라고도 할 수 있습니다.

다른 말로 하면 매력 또는 호감이라고 쉽게 설명할 수도 있는 이 소프트 파워를 강화하기 위해 절치부심(切齒腐心 ; 이가 문드러지고 속을 썩힐 만큼의 노력)해야 합니다. 소프트 파워를 얻기는 어렵지만, 잃는 것은 한 순간이기 때문입니다. 도덕적 책임과 소프트 파워를 기르지 않으면 진정 강한 사람이 될 수 없습니다. 어른이 되면서 친구들이나 사람들에게 도덕적 책임과 소프트 파워를 기르지 않으면 진정한 믿음의 사람이 될 수 없습니다. 아무리 높은 지위에 올라가도 거짓이 드러나거나 숨겨진 죄가 드러난다면 이제껏 쌓아놓은 호감은 사라질 테니 말입니다.

1858년에 링컨은 남북전쟁이 일어나고 있는 와중에서도 한 연설에서 이렇게 말했답니다.

"우리를 둘러싸고 있는 물질적 환경을 개발하기 위해 노력하

고 있는 만큼 우리들의 마음 속에 있는 도덕적 세계를 개발하기 위해 노력한다면 우리는 아마 영속적으로 발전할 수 있을 것이다."

이 말은 정직을 아주 간결하게 표현한 말입니다. 학교에서 보면 반장 선거할 때 혹은 전교 회장에 출마할 때 어린아이들도 많은 공약들을 이야기합니다. 어른들의 선거에서도 마찬가지입니다.

조용헌 선생의 글을 인상 깊게 읽었습니다. 어느 재벌 2세가 있었는데, 오렌지족 냄새는 별로 안 나고 뜻밖에도 단단하게 보였다고 했습니다. 이 2세가 영어에 능통하게 된 계기가 인상적이었다고 말합니다. 공부를 싫어했던 이 오렌지족은 호주에 유학을 가서도 말썽만 피웠답니다. 말이 유학이지 호주에서의 일상은 노는 일이었습니다.

그러다가 어느 날 교통사고를 내게 되었다고 합니다. 상대방이 잘못해서 발생한 교통사고이기는 하였지만, 사람이 죽는 큰 사고였습니다. 외국에서 사람이 죽는 인명 사고가 났으니 간이 철렁할 수밖에 없었을 겁니다. 교포 변호사에게 상의를 하니 내일 당장 한국으로 가는 비행기 표를 끊는 것이 좋겠다는 의견이 나왔습니다. 다시는 호주에 돌아올 수 없다는 의견도 첨부되었다고 합니다. 아들은 한국에 있는 아버지에게 전화를 걸어 긴박한 상황을 설명하였습니다.

철부지 장남의 전화를 받은 아버지는 이렇게 말했다고 합니다.

"돌아오지 말고 네가 거기서 해결하거라! 남자가 살다 보면 몇 년 교도소에 있을 수 있다. 그대신 변호사 비용은 내가 대주마!"

이렇게 전화를 끊은 아버지는 화장실에 가서 울었다고 합니다. 호주는 배심원제입니다. 이때부터 아들은 자신의 무죄를 입증하기 위해 필사적으로 영어에 매달렸다고 합니다. 죽기 아니면 살기였다고 합니다. 밤이 지나 아침 동이 틀 때까지 영어 참고서를 보고, 낮에는 법정에 출두하기를 2년 동안 계속했다고 합니다. 마침내 스스로의 힘으로 무죄를 입증하였다고 합니다.

"돌아오지 말고 거기서 해결하라!"

이 교육법은 참으로 인상 깊은 2세 교육법이었습니다. 도덕적 책임은 부모가 아니라 자신이 지게 하고 그것을 단지 격려하는 것이 부모가 할 일입니다. 자녀의 잘못까지 부모가 대신 책임지는 것은 아주 어릴 때부터 버려야 합니다.

이러한 교육법을 '절차탁마(切磋琢磨)'라고 합니다. 자신이 스스로 해결하도록 내버려두는 교육법을 말합니다. 마마보이나 마마

절차탁마 [切磋琢磨]

끊을 절, 갈 차, 쫄 탁, 갈 마

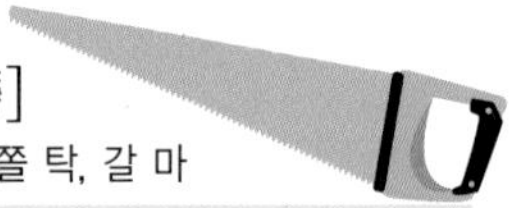

원래 톱으로 자르고 줄로 쓸고 끌로 쪼며 숫돌에 간다는 뜻. 학문과 덕행을 힘써 닦음을 비유해 쓸 뿐만 아니라 기술을 익히고 사업을 이룩하는 데도 인용하는 말.

걸은 독립해야 할 시기에 부모가 모든 것을 대행해 준 결과 생긴 병입니다. 혼자 책임을 지는 법을 배울 때 친구들은 누구보다 나를 신뢰하게 될 것입니다. 정직은 자신이 한 말, 행동 등등을 책임지는 것을 뜻합니다.

결론입니다

왜 우리는 정직하지 못할까요? 가만히 생각해 보면 욕심 때문이라는 것을 알 수 있습니다. 남보다 더 많이 가지고 싶다는 욕심, 남보다 더 많은 점수를 받아야겠다는 욕심, 남보다 더 잘나야겠다는 욕심, 또 남보다 더 빨리, 높이 성공해야겠다는 욕심이 우리를 정직이 아닌 부정직하게 만든답니다.

하나님을 믿는다면 결코 우리는 부정직할 수 없습니다. 또 한 가지 하나님 없는 성공은 오래 가지 못합니다. 하나님이 견고히 쌓아주셔야 무너지지 않는 성공을 가질 수 있기 때문입니다. 하나님 앞에 정직하십시오. 하나님이 때가 되면 높이실 겁니다. 정직을 마음에 깊이 새기고 또 새겨 한 치의 거짓도 없도록 늘 자신을 잘 가꾸어야 합니다.

사랑의 하나님 아버지!

하나님을 믿는다면 하나님이 우리를 책임지신다는 생각을 가지고 항상 정직한 마음을 주시옵소서. 우리 안에 정직한 영을 새롭게 하여 주옵소서. 사탄 마귀는 우리의 욕심을 자극하여 눈앞의 이익에 눈이 멀게 하여 부정직하게 만들어 도둑질하게 만들고 치팅하게 만들고 사기 치게 만듭니다. 하나님의 자녀는 언제나 정직해야 합니다. 늘 정직하여 하나님 앞에서 또 사람들 앞에서 부끄럽지 않은 삶을 살게 하옵소서.

예수님의 이름으로 기도합니다. 아멘.

마음이 유쾌해요

I'm delighted

(말씀 _ 14)

| 본문 잠 23:16-19 |

만일 네 입술이 정직을 말하면 내 속이 유쾌하리라. 네 마음으로 죄인의 형통을 부러워하지 말고 항상 여호와를 경외하라 정녕히 네 장래가 있겠고 네 소망이 끊어지지 아니하리라. 내 아들아 너는 듣고 지혜를 얻어 네 마음을 정로로 인도할지니라.

외울 말씀

"만일 네 입술이 정직을 말하면 내 속이 유쾌하리라."(잠 23:16)

관련 동영상

도덕성

한국 치안 테스트

도덕성이 실력인 시대

"여호와는 의로우사 의로운 일을 좋아하시나니 정직한 자는 그의 얼굴을 뵈오리로다"(시 11:7)
라고 하셨습니다.

또 "너희 의인들아 여호와를 즐거워하라. 찬송은 정직한 자의 마땅히 할 바로다"(시 33:1)
라고 하셨습니다.

하나님이 우리에게 원하시는 가장 기초적인 성품은 정직입니다. 나무들도 곧고 반듯하게 자란 나무가 있는가 하면 심히 굽어진 나무들이 있음을 보게 됩니다. 집을 짓는 목수는 굽어진 나무보다는 곧게 자란 나무를 선택하여 사용하게 됩니다. 사람도 마음이 올곧은 사람이 있는가 하면 환경과 처지에 따라 수시로 변하는 지조 없는 사람들도 있습니다.

하나님은 우리에게 신실하시고 정직하신 만큼 우리도 하나님 앞에서나 사람 앞에서 진실하고 정직한 사람이 되기를 원하십니다. 사람과 사람 사이에서도 신의와 진실은 생명과 같습니다. 하나님이 미워하시고 그 마음에 싫어하시는 것들은 거짓말하는 혀와 형제 간에 이간질하는 것(잠 6:17,19)이라 하셨습니다.

진실과 순수성이 사라진 시대는 한 마디로 비참한 세계입니다. 진실과 정직보다는 거짓과 속임, 혼란과 불신이 판치는 사회는 죽은 사회나 다름없습니다. 진실을 찾아보기 어려운 때가 되었습니다. 지조 있는 신앙과 정직한 마음을 소유한 자들이 그리운 때입니다. 다니엘과 같이 신앙의 절개와 하나님을 향한 일편단심의 올곧은 마음을 소유한 자들이 요구되는 때입니다. 그 어떤 것에도 타협하거나 굴하지 않고 오직 하나님의 나라와 그 의를 위해서 죽을 수 있는 지조 있는 '하늘나라 선비'들이 필요한 때입니다. 사계절이 바뀌고 비바람이 몰아쳐도 언제나 변함없이 푸르른 모습으로 '올곧게 서 있는 소나무'처럼 말입니다!

얼마 전 한 책을 읽었더니 가슴을 쾅하고 때리는 다음과 같은 제목의 글이 실려 있었습니다.

"자녀가 성공하기를 바란다면 도덕성부터 키워야 합니다."

그러면서 다음의 예를 들었습니다.

"아이가 사람 많은 공공장소에서 대놓고 떼를 쓴다면? 순진한 얼굴로 뻔한 거짓말을 한다면? 어른에게 인사할 줄을 모른다면? 동생 울리기를 밥먹듯 한다면? 화난다고 물건을 집어던진다면?"

혹시 우리 주위에 이런 아이들이 없나요?

이런 사례들도 들었습니다.

"자기 것을 절대 양보할 줄 모른다면? 남의 물건에 손을 댄다면? 혼자서는 숙제를 못하겠다고 한다면? 남한테 지는 걸 못 견딘다면? 친구와 어울려 놀 줄 모른다면? 아이가 이럴 때, 과연 당신은 어떻게 하고 싶을까요?"

사실 이런 아이들은 주변에 널렸습니다. 이전보다 훨씬 이런 아이들이 더 많은 듯합니다.

그러면 보통은 '저 나이 때는 다 그렇지' 하며 넘어가는 편입니까? 아니면 '저런 것보단 공부가 더 중요하다'며 등한시하십니까? 일일이 잔소리하는 것이 귀찮아 보고도 못 본 척 하는 것은 아닌지요?

이 말은 서울대학교의 문용린 교수님이 자기가 최고인 줄 아는 아이를 키우며, 교육열만 올리는 부모들이 한국의 미래를 어둡게 할 것이라고 하며 일침을 놓은 글 속에 있습니다. 우리는 그 말에 전적으로 동의할 수밖에 없을 것 같습니다. 그 분의 말은 IQ(Intelligence Quotient, 지능지수)보다 더 중요한 것이 MQ(Moral Quotient)라고 했습니다. MQ는 도덕지수라고 합니다. 앞으로의 사회는 MQ가 떨어지는 아이는 10년 뒤 성공할 수 없다고까지 말합니다. 도덕지수는 성품이기도 하지만 이제는 세상을 살아가는 경쟁력이기도 하다는 이야기입니다.

학벌을 속이는 사람도 MQ가 모자라는 사람입니다. 언젠가는 백일하에 드러나게 되는 인터넷 세상이 왔습니다. 온라인은 내가 백주에 행한 일을 모든 사람이 보도록 드러나게 합니다. 또 밤중에 한 일을 감시카메라가 찍는 세상입니다. 이제는 도덕지수가 없이는 더 이상 정상에 오를 수 없는 시대가 되었습니다.

더 큰 문제는 죄를 짓거나 거짓을 말하고도 양심의 가책을 느끼지 못하는 시대에 우리가 살고 있다는 겁니다. 양심을 지키지 못하면 반드시 대가를 치르게 되어 있다는 사실을 잊지 말기 바랍니다.

깨끗해야 오래 간다

옛날 우리나라에서도 어릴 때 '도덕 교육'을 시켰는데, 주로 독서를 통해 배우도록 되어 있었습니다.

양반가의 부모들은 아이가 천자문을 떼자마자 바로 《계몽편(啓蒙篇)》을 읽혀 그 안의 '구용(九容)'을 배우도록 했습니다. '구용'이란 몸과 마음을 가지기 위한 아홉 가지 기본 자세를 말합니다. 조선 시대를 대표하는 선비인 이덕무는 '구용'은 삶의 우환을 막아주는 성벽과도 같다고 했습니다.

필자는 자녀들을 키우면서 정한 한 가지 원칙이 있었습니다. 그리고 그것을 가훈으로 삼아 가르쳤습니다.

"길거리를 걸어가다 누군가 흘린 돈을 보더라도 절대로 줍지 말라."

왜냐면 한 번 땅에 떨어진 돈을 주워본 경험이 있는 아이는 평생 땅을 쳐다보며 살 것이기 때문입니다.

현재까지 밝혀진 바에 의하면 도덕지수, 즉 사람다운 행동을 하게끔 만드는 것은 뇌 전두엽의 역할이라고 합니다. 만일 어릴 때 전두엽이 손상되면 사회적으로 용납되지 않는 행동을 서슴없이 저지른다는 것을 신경생리학이 가르쳐주고 있습니다. 과잉행동장애증후군인 ADHD 역시 전두엽과 관계가 있다고 널리 알려져 있습니다.

그런데 이 전두엽이 매우 활발하게 발달하는 시기가 10살 이전이기 때문에 이 시기에 도덕지수를 키우지 못하면 평생 자기관리가 안 되는 사람이 된다고 경고합니다.

이 전두엽이 발달되지 않으면 원하는 것이 있으면 법을 어기고, 심지어 아무 거리낌없이 살인도 할 수 있는 사람이 된다고 합니다. 그러나 어른이 되어서 전두엽에 손상을 입었다면 사회적으로 용납 불가능한 행동은 저지르지는 않는다고 합니다. 따라서 어릴 때, 최소 10살 전에 부모로부터 받은 도덕 교육이 무의식중에 습관으로 자리 잡아야 정상적인 MQ를 유지할 수 있습니다. 반드시 10살 전에 아이에게 사람됨에 가르쳐야 하는 까닭이 바로 이 때문입니다.

강하다는 것은 불법을 행하고 무력을 행사하고 남에게 지지 않으려고 수단을 다하는 것이 아니라, 바르고 정직함에 기반을 둔 정면 승부에서 남을 이기는 능력을 말합니다.

가치 있는 것에 집중하기

늘 자신을 돌아보아 정직과 성실을 다하는 사람을 자기 혁신이 된 사람이라고 합니다. 이런 성품을 가진 사람은 더디더라도 튼튼하게 성공한답니다. 요사이 뉴스를 보면 도심 한가운데에 멧돼지가 출현하는 상황이 자주 보도되고 있습니다. 농림축산검역본부에 따르면 야생 멧돼지가 1km^2 안에 얼마나 서식하고 있는지를 나타내는 서식밀도가 경기도의 경우 2017년 2.8마리였다가, 2018년 5.2마리로 늘었다고 합니다. 수치상으로 거의 두 배 가격이 증가한 셈입니다. 물리적으로 멧돼지 영역이 확장될 수밖에 없는 구조라고 할 수 있을 것 같습니다. 그러다 보니 멧돼지에 의

한 피해가 늘어가고 있는 실정입니다.

멧돼지가 농작물을 해치는 이유는 도토리 때문이라고 합니다. 멧돼지를 사육하는 한 친척한테 들은 이야기에 따르면 멧돼지가 가장 좋아하는 열매가 놀랍게도 도토리라고 합니다. 도토리를 몇 알 주워 먹은 멧돼지는 그 맛을 잊지 못해 또 도토리가 있는가 하고 땅을 그렇게 파헤친다고 합니다.

만약 멧돼지가 우리말을 듣는다면 멧돼지에게 이렇게 말해 주고 싶지 않을까요?

"야! 이놈아, 도토리가 땅에 떨어져 있다고 땅에서 나오냐? 열매 나무에서 떨어지는 것이지. 그러니 나무를 들이받아야 도토리를 따지."

라고 말입니다.

하지만 도토리가 나무에서 떨어지는 줄 모르는 멧돼지는 도토리를 찾다 못 찾으니까 배가 고파 도심까지 내려오는 것입니다.

땅에 있는 것을 찾아 헤매는 멧돼지는 그야말로 유해 동물일 뿐입니다. 하지만 멧돼지만 그럴까요? 아니라고 생각됩니다. 부자가 되고 잘 먹고 잘 살려고 땅에 떨어진 불로소득을 찾아 헤매는 것은 우리 인간들도 마찬가지니까요.

땅에서 금이 나오고 먹을 것이 나오니까 그것이 땅에 속한 것인 줄 알고 찾아 헤매면 정직한 사람이 되지 못합니다.

옛날 삼성그룹의 창립자인 이병철 회장님이 하신 말입니다.

"작은 복은 사람이 만들고, 큰 복은 하늘에서 내려준다. 작은 부자는 노력으로 만들어지지만, 큰 부자는 하나님만이 만들 수 있다."

정직을 밑천으로 삼아 땅에서 불로소득을 얻기 위해 땅만 쳐다보지 말고 하나님을 바라보면, 정직한 자에게 하나님은 이렇게 말씀합니다.

"만일 네 입술이 정직을 말하면 내 속이 유쾌하리라. 네 마음으로 죄인의 형통을 부러워하지 말고 항상 여호와를 경외하라. 정녕히 네 장래가 있겠고 네 소망이 끊어지지 아니하리라."

필자는 항상 가정 예배를 드릴 것을 강조하는데, 필자가 쓴 글 중에 이런 이야기가 나옵니다.

"땅을 가다가 돈을 보거나 지갑을 보더라도 줍지 말거라. 기억나니? 왜냐하면 땅에서 돈을 주워본 경험이 있는 사람은 꼭 땅만 쳐다보며 요행을 바라는 사람으로 변하기 때문이야. 노력하는 사람이 되기 보다 요행을 바라는 사람이 되면 그 사람은 거지가 되는 것이 불을 보듯 뻔하단다. 실제로 이런 일이 있었단다. 미국에 캐리 웨브라는 소년이 있었는데, 어느 날 길을 가다가 땅에서 5달러를 주웠대. 너무나 감격스러워 그 후부터는 땅만 보고 다녔다는 거야. 그게 어느덧 습관이 되어 그때부터 땅에서 주운 것을 모으는 취미를 가지게 되었대. 그는 평생 동안 땅만 보고 다니면서 단추 29,519개, 머리핀 54,172개, 동전 25,103개, 시계

1,051개, 볼펜 1,102개 등을 주워 모았다고 말했단다. 말 그대로 넝마주이의 인생이었지. 이것이 그의 일생이었단다."

결론입니다

사랑하는 여러분!

일생 동안 어떤 것에 집중해서 얼마나 시간을 투자하느냐에 따라서 얻게 되는 소득이 다릅니다. 기왕 뭔가에 집중하려면 우리의 생애를 후회하지 않을 만큼 가치 있는 것에 집중해야 합니다. 저는 그것이 정직한 삶이라고 생각합니다. 땅에서 돈을 줍지 않겠다는 생각, 보는 사람이 없어도 남의 것에는 절대 손대지 않겠다는 정직한 마음, 감독관이 없어도 치팅을 하지 않겠다는 견고한 마음, 만약 잘못을 저질렀다면 숨기지 않고 정직하게 고백하는 마음. 이러한 마음들은 잠시 동안은 내가 손해보는 것 같지만, 결과적으로는 나에게 유익하다는 것을 깨닫게 될 것입니다.

정직하여 손해를 보는 경우가 있어도, 우리를 늘 지켜보시는 하나님이 계시다는 믿음을 가지고 항상 정직하기를 주님의 이름으로 부탁드립니다.

사랑의 하나님 아버지!

우리에게 정직한 마음을 주시니 감사합니다. 하지만 저희들은 늘 마음으로는 정직해야 한다고 생각은 하면서도 친구들 간에 서로 높아지려는 이유 때문에 컨닝도 합니다. 하지만 하나님의 자녀는 항상 정직해야 합니다. 그리하여 사탄이 주는 부정직한 마음을 과감히 떨쳐버릴 수 있는 정직한 마음을 갖고 늘 주님을 찾는 자가 되게 하옵소서.

예수님의 이름으로 기도합니다. 아멘.

흔들리지 않음

Not shaken

(말씀 _ 15)

본문 시편 15:1-5

여호와여 주의 장막에 머무를 자 누구오며 주의 성산에 사는 자 누구오니이까 정직하게 행하며 공의를 실천하며 그의 마음에 진실을 말하며 그의 혀로 남을 허물하지 아니하고 그의 이웃에게 악을 행하지 아니하며 그의 이웃을 비방하지 아니하며 그의 눈은 망령된 자를 멸시하며 여호와를 두려워하는 자들을 존대하며 그의 마음에 서원한 것은 해로울지라도 변하지 아니하며 이자를 받으려고 돈을 꾸어 주지 아니하며 뇌물을 받고 무죄한 자를 해하지 아니하는 자이니 이런 일을 행하는 자는 영원히 흔들리지 아니하리이다.

외울 말씀

"여호와여 주의 장막에 머무를 자 누구오며 주의 성산에 사는 자 누구오니이까 정직하게 행하며 공의를 실천하며 그의 마음에 진실을 말하며 그의 혀로 남을 허물하지 아니하고 그의 이웃에게 악을 행하지 아니하며 그의 이웃을 비방하지 아니하며."(시 15:1-3)

관련 동영상

개구리

노숙자가 득템한 반지

개구리 딜레마

먼저 개구리 이야기를 하나 해드리겠습니다. 프랑스 요리 중 삶은 개구리 요리가 있습니다. 그 요리는 요리사가 직접 손님들 앞에서 즉석으로 해준다고 합니다. 맨 처음에는 개구리가 가장 좋아하는 온도의 물속에 개구리를 넣고 1분에 0.25도씩 온도를 높여 갑니다. 그럼 개구리는 물이 뜨거워지고 있다는 것을 모르고 편안하게 잠자다 삶아져 죽게 되는 방법으로 요리한다고 합니다.

그런 현상을 '삶은 개구리 신드롬(Boiled Frog Syndrome)'이라고 부릅니다. 자기 계발 분야에서는 '변화무지증후군' 혹은 '비전상실증후군'으로 번역되기도 합니다.

우리도 삶은 개구리와 같은 어리석음을 저지를 때가 있습니다. 처음엔 몇 백 원, 몇 천 원을 훔치다가 나중에는 몇 억, 몇 백억 원을 횡령하는 비리를 저지르는 일이 우리 주변에는 비일비재합니다. 아주 작은 도둑질을 했을 때 죄책감을 눌러버리면 면역력이 생겨 결국에는 엄청난 잘못을 저지르고도 양심의 가책을 받지 않게 된다는 얘기입니다. 우리나라 속담에 "바늘 도둑이 소 도둑 된다"는 말이 있습니다.

따라서 성품의 훈련, 마음의 훈련은 아주 작은 일에서부터 시작해야 합니다. 그래서 성경은 "무릇 지킬 만한 어떤 것보다 더욱 마음을 지키라"(잠언 4:23)고 이야기하고 있습니다. 이 구절은 세상에서 가장 지키기 힘든 것이 마음이라는 뜻입니다. 마음이 사람을 살리기도 하고 죽이기도 하기 때문입니다. 마음이 긍정적이고 강한 사람은 어떤 상황 어떤 위기가 와도 자신을 지킬 뿐 아니라 옳은 길로 간답니다.

그러면 왜 사람들이 마음을 지키지 않고 쉽게 죄를 짓거나 타락하게 될까요? 우리의 경험으로는 미래를 긍정적으로 보지 못하기 때문이라는 것을 알 수 있습니다. 스스로가 앞으로 미래에 큰 인물이 될 사람이라고 믿는다면 오늘을 살면서 과오나 오점을 남기지 않으려고 노력하겠죠.

여러분들도 뉴스를 통해 많은 정치인들, 기업가들, 교수들이 과거에 저지른 잘못 때문에 원하던 높은 자리에 오르지 못하고 추락하는 것을 보았겠지요. 자신의 미래가 밝다고 믿는 사람은 오늘 바로 이 순간에 죄와 타협하지 않고 바른 길을 고집하며 갑니다. 그것을 이루려면 강력한 자기 비전이 있어야 합니다. 그것이 바로 "생생하게(vivid) 꿈을 꾸면(dream) 이루어진다(realization)"는 'R=VD 법칙'입니다. 하지만 그렇지 않더라도 정직은 모든 일에 유익을 줍니다.

정직한 거지

어느 날 거리를 걷다가 불쌍한 거리의 노숙자를 보자 자신의 지갑을 뒤집어 잔돈을 탈탈 털어준 아기 엄마가 있었습니다. 집에 온 뒤, 지갑을 확인하는 순간 그녀는 그만 뒷목을 잡고 말았습니다.

"오! 마이 갓!"

이야기의 시작은 미국 캔자스시티에 사는 노숙자 빌리(Billy Ray Harris)로부터 시작합니다. 이 일은 2013년에 일어났습니다.

빌리는 비록 누추한 차림의 노숙자였지만, 누구보다 선한 마음을 가지고 정직만은 지켜야 한다는 생각을 가지고 있었습니다. 그런 빌리에게 기적과도 같은 일이 일어났습니다.

그해 어느 날, 사라(Sarah Darling)는 거리에서 구걸하던 노숙자 빌리를 보고 그에게 적선했습니다. 동전 지갑을 열어 그 안에 있던 동전을 그의 앞에 놓인 컵 안에 모두 쏟아주었습니다.

몇 시간 뒤, 집에 돌아온 사라는 엄청난 실수를 저질렀음을 깨달았습니다. 동전 지갑에 넣어둔 약혼반지까지 빌리에게 모두 털어준 것입니다. 당황한 그녀는 급히 차를 몰고 빌리를 만났던 거리로 갔습니다. 하지만 그는 이미 종적을 감춘 뒤였습니다.

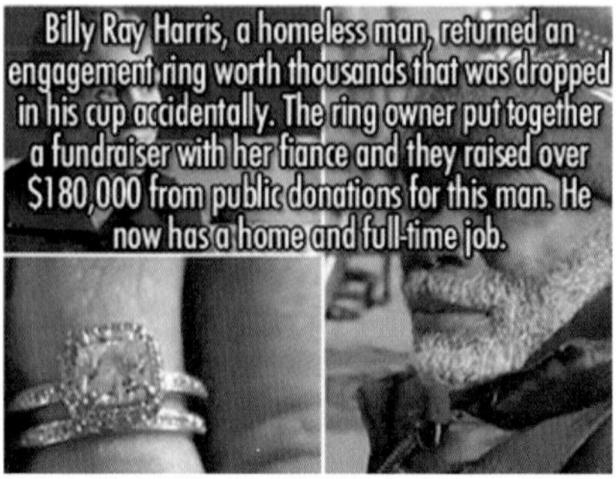

그사이 빌리는 보석 가게에 있었습니다. 자신의 컵에 들어온 반지를 보고는 진짜인지 궁금한 마음에서였죠. 보석 가게 주인의 말을 들은 그는 깜짝 놀랍니다. 그가 받은 반지가 진짜 다이아몬드 반지였던 것입니다! 그리고 가게 주인은 그 자리에서 4,000달러(약 480만 원)를 줄 테니 반지를 팔라고 말했습니다.

빌리는 순간 갈등했습니다. 그 돈이라면 이제 지긋지긋한 거리 생활에서 벗어나 새 인생을 살 수 있을 것 같았죠. 하지만 이건 아니라는 생각이 들어 고민하던 그는 결국 반지를 돌려받고 가게를 떠났습니다.

다음날, 사라는 절실한 마음으로 빌리가 있던 자리를 다시 찾았습니다. 빌리는 그곳에 있었죠. 사라는 초조하게 그에게 다가가 자신을 기억하는지 물었습니다. 조용히 고개를 끄덕이던 빌리는 주머니에서 반지를 꺼내 사라에게 주었습니다.

사라와 그의 남자 친구는 정직한 빌리에게 크게 감동했고, 곧 빌리를 돕기 위한 모금 활동을 시작했습니다. 기적처럼 찾아온 기회를 마다하고 반지를 돌려준 정직한 노숙자의 사연은 금세 화

제가 되어 많은 사람들의 가슴을 울렸습니다.

모금이 시작된 지 얼마 안 돼 무려 2억 3천만 원이라는 큰돈이 모이게 되어 빌리는 새로운 삶을 시작할 수 있었습니다. 언론의 도움으로 빌리는 16년 동안 연락이 끊긴 형제들과도 재회했습니다. 빌리가 죽었다고만 생각했던 형제들은 눈물을 흘리며 그를 얼싸안았습니다.

아름다운 선행이 불러온 훈훈한 결과에 얼어붙은 마음이 녹아내립니다. 비록 거리를 전전하던 노숙자였지만, 빌리는 진실하고 정직한 마음을 가진 매우 멋진 분이네요. 새로운 출발을 꿈꾸는 그의 힘찬 앞날을 응원합니다.

정직이 최선이다

미국에서 세탁소를 운영하여 성공한 그리스도인이 한 분 있습니다. 그는 한국에서 교사로서 학생들을 가르치다 미국으로 이민을 갔는데, 그 땅에서 마땅히 할일이 없자 세탁소를 하면서 수입의 일부분으로 선교사들을 지원하고 있었습니다. 하지만 그에게는 세탁소를 때려치우고 싶은 순간이 너무나 많았습니다. 아이들을 가르치던 이전 모습과 비교하면 지금의 모습이 너무 한심하고 자존심이 상했기 때문이었습니다.

그러던 어느 날, 맡겨진 세탁물의 안주머니에서 2천 7백 달러가 발견되자 그는 투덜거리며 말했습니다.

"하는 일도 힘들고 자존심도 상하는데, 이제는 시험 거리까지 생기는군."

그리고 며칠이 지난 후 그 세탁물의 주인이 오자 그 사람에게 화를 내며 말했습니다.

"왜 이런 것으로 나를 시험하는 거요?"

그 돈의 주인은 겸연쩍어 하며 돌아갔습니다. 그리고 얼마 후 세탁물 주인은 이 사람을 다시 찾아와 세탁 공장의 운영을 맡아주었으면 좋겠다고 제안하는 것이었습니다. 그 세탁물 주인은 항공사의 부사장이었던 겁니다. 결국 세탁소의 주인은 현재 700명의 직원을 고용한 사업체를 운영하고 있습니다. 정직하려면 용기가 필요합니다. 삶이 힘들다고 기준을 낮추지 말아야 합니다. 이러한 일상의 일들을 통해 주님의 모습이 드러나십니다. 진정한 영성은 일상에서 증명됩니다.

결론입니다

예수님은 말씀하십니다. "여호와여 주의 장막에 머무를 자 누구오며 주의 성산에 사는 자 누구오니이까 정직하게 행하며 공의를 실천하며 그의 마음에 진실을 말하며 그의 혀로 남을 허물하지 아니하고 그의 이웃에게 악을 행하지 아니하며 그의 이웃을 비방하지 아니하며" 이런 사람에게는 시편 112:4에 약속한 대로 "정직한 자들에게는 흑암 중에 빛이 일어나나니 그는 자비롭고 긍휼이 많으며 의로운 이로다"라고 약속하십니다.

사랑하는 여러분!

여러분은 정직한 자의 길을 행하겠습니까? 아니면 부정직한 자의 길로 가겠습니까? 하나님 앞에는 항상 두 길이 있습니다. 어느 길을 걸어갈지는 자신의 선택입니다. 스스로 잘 선택하여 아름다운 길로 가는 여러분이 되기를 진심으로 부탁드립니다.

기도

하나님은 이 땅을 정직하게 만드시고 그곳에 사람들도 정직하게 창조하셨습니다. 하지만 우리는 사탄의 꾐에 넘어가 부정직하며 바른 길을 버리고 굽은 길로만 갔습니다. 저희들 마음 안에 정직한 영을 새롭게 하셔서 정직한 영으로 정직한 행동으로 살게 하여 주옵소서. 행여나 작은 유혹에 마음이 흐트려지지 않도록 도둑질하지 말고 속이지 말라는 하나님의 계명을 지키게 하옵소서.

예수님의 이름으로 기도드립니다. 아멘.

할 것을 다할 때 얻는 기쁨

The joy of getting everything done

(말씀 _ 16)

| 본문 신명기 11:1 |

그런즉 네 하나님 여호와를 사랑하여 그가 주신 책무와 법도와 규례와 명령을 항상 지키라.

외울 말씀

"너는 네 식물을 물 위에 던지라. 여러 날 후에 도로 찾으리라."(전도서 11:1)

관련 동영상

유일한 박사

유일한 박사(영문)

책임질 줄 아는 용기를 길러라

우리는 가끔 실수를 합니다. 일을 하다 보면 잘못할 수도 있죠. 하지만 혼날 일을 했다면 책임을 지고 혼이 나는 것도 어쩌면 리더십의 중요한 자질이 아닐까요? 잘못을 느끼고 다시 하지 않겠다고 마음먹는 것도 정직의 한 요소입니다. 변명보다 정직하게 시인할 때, 용서가 기다리고 새로운 기회가 열리는 것입니다.

일본이 배출한 유명한 수상 중에 다나카(田中)라는 분이 있습니다. 50대 이상 되는 어른 분들은 다나카 수상의 이름을 기억하실 겁니다. 그런데 이 분은 초등학교밖에 나오지 않았다고 합니다.

그런 그분이 일본의 대장성(우리나라의 기획재정부) 장관이 되었을 때의 일화입니다. 대장성은 일본의 재정을 책임지고 관리하는 부서로서 특히 동경대학교 출신의 수재들이 많이 일하고 있었습니다.

그러니 초등학교 출신이 장관으로 임명되었으니 노골적인 불만이 얼마나 많이 표출되었겠습니까? 그러나 다나카는 장관에 취임하는 날 1분도 안 되는 연설로 우려와 불만을 일거에 해소했습니다.

뭐라고 했는지 궁금하지 않습니까?

“여러분은 천하가 알아주는 수재들이고, 나는 초등학교밖에 나오지 못한 사람입니다. 더구나 대장성 일에 대해서는 깜깜합니다. 따라서 대장성 일은 여러분들이 하십시오. 나는 여러분들이 소신껏 하신 일에 책임만 지겠습니다.”

이 말은 장관인 자신은 책임을 지는 존재로 낮추고 영광은 직원들이 차지하게 만든다는 기막힌 연설이었습니다. 그렇게 대장성 직원 모두를 리더로 인정해 주는 순간, 부하 직원들은 닫힌 마음의 문을 활짝 열었습니다. 겸손과 상대에 대한, 그리고 무엇보다도 스스로 책임을 지는 자세야 말로 진정한 리더의 모습이라고 할 수 있을 겁니다.

여러분!

언젠가 책임져야 할 상황이 생기면 책임을 떠맡는 사람이 되기를 바랍니다. 그렇게 하면 친구들로부터도 인정을 받게 됩니다.

이탈리아의 정치인인 주세페 마치니(Giuseppe Mazzini)가 이에 대해 아주 결정적인 말을 했습니다.

"부하의 잘못을 자신의 책임으로 돌리는 사람은 훌륭한 지도자이다. 어리석은 지도자는 자신의 잘못까지도 부하의 책임으로 돌린다."

내가 책임지겠다고 나서면 모든 사람들의 경계하고 의심하는 마음이 눈 녹듯이 사라집니다. 그런데 반대로 영향력은 커지게 됩니다. 왜냐하면 세상에는 무책임한 사람들이 너무 많기 때문입니다.

짧지만 강력한 링컨의 편지

"존경하는 마이드 장군! 이 작전이 성공한다면 그것은 모두 당신의 공로입니다. 그러나 만약 실패한다면 그 책임은 내게 있습니다. 만약 작전에 실패한다면 장군은 링컨 대통령의 명령이었다고 말하십시오. 그리고 이 편지를 모두에게 공개하십시오!"

– 아브라함 링컨, 미국 대통령 –

이 편지는 링컨 대통령이 남북전쟁 중 가장 치열했던 게티즈버그 전투 때 마이드 장군에게 공격 명령을 내리면서 보낸 짧은 편지의 내용입니다. 책임은 자신이 지고 영광은 부하에게 돌리는 링컨 대통령. 올바른 성품과 책임감에서 나오는 '바람직한 영향력'(즉 리더십)의 표본이라 할 수 있을 겁니다.

존 맥스웰 목사님은 이러한 리더를 위대한 리더라고 하며 다음과 같이 말했습니다.

"훌륭한 리더는 자신의 몫보다 더 많은 책임을 지고, 자신의 몫보다 더 적은 대가를 얻는다."

책임에 앞장선 진정한 기업가

만약 여러분들에게 평생 동안 모은 돈을 사회를 위해 환원하라고 하면 선뜻 모두 다 내놓을 수 있을까요? 아마도 쉽지 않을 겁니다.

만년필과 지팡이, 그리고 20년 신은 구두만을 남겨두고 나머지 재산은 사회의 공익재단에 모두 기부한 뒤 빈손으로 홀연히 세상을 떠난 분이 우리에게도 있습니다.

유한양행이라는 회사는 여러분도 잘 알 겁니다. 제약회사로 유명한 곳이니까요. 이 회사의 창업자가 바로 유일한 사장이었습니다. 그 분의 원래 이름은 유일형인데, 미국으로 유학을 가서 조국을 잊지 않겠다는 의지로 이름을 바꾸었습니다.

27살, 그는 미국에서 숙주나물 장사를 시작합니다. 장사는 성공이었습니다. 창업 4년 만에 50만 달러라는 큰돈을 벌어들이게 되었습니다. 숙주나물 사업에 필요한 녹두를 구하러 온 유일한은 고국에 돌아온 뒤 회사를 정리하고 영구 귀국을 결심하게 됩니다. 그는 귀국 후 비참한 일제강점기 고국의 처참한 실정을 보고, 소비자에게 봉사하기 위한 기업, 민족에게 봉사하기 위한 기업을 설립하기로 마음을 먹게 됩니다. 그것이 바로 '유한양행'입니다. 수입 약품을 주로 판매하던 유한양행은 창립한 지 5년 만에 탄탄한 기반을 잡고, 만주 · 중국 · 동남아까지 판로를 확장하게 됩니다.

예나 지금이나 기업은 돈이 되는 장사란 서민들의 삶에 필요한 것을 제공하는 것임을 알았습니다. 이 분은 더 나아가 그렇게 해서 번 돈까지도 어떡하면 어려운 민중을 위해 쓸 수 있는가를 먼저 생각했습니다.

1936년, 지금부터 약 80년 전에 그는 기업에서 일하면서 함께 밥 문제를 해결해나가는 종업원들도 주인 의식을 가질 수 있도록 종업원 지주제를 실시했습니다. 그리고 유일한은 1969년 기업의 제일선에서 은퇴하면서 기업 경영의 경험이 없는 자녀보다는 함께 일하면서 훈련되어 경영 능력면에서 믿을 수 있는 사람인 전문경영인에게 경영권을 넘겨 전문경영인 시대를 열었습니다.

그분은 1954년부터 본격적인 교육 사업을 시작했는데, 자신의 사재를 털어 고려공과기술학원을 세웠습니다. 이후 한국직업학원, 유한공고, 유한재단을 설립하는 등 교육 사업에 심혈을 기울였습니다. 그러면서 유한양행의 총주식 40%를 각종 공익재단에 기증하는 등 소유 주식을 모두 사회에 환원했습니다.

1971년 3월 11일, 나머지 재산마저

모두 공익재단에 기부한 뒤 76세를 일기로 빈손으로 홀연히 세상을 떠났습니다.

책임지는 부자가 되거라

한국 경제 전문가들이 국내에서 가장 존경하는 기업인이자 전 재산을 사회에 되돌려준 참된 기업가. 이것은 유일한을 수식하는 말들입니다.

일제강점기하에서 헐벗고 굶주리며 약이 없어 질병에 시달리는 국민들을 구하려면 제약회사의 설립이 시급하고, 건강한 국민만이 잃었던 주권을 되찾을 수 있다는 신념 아래 유한양행을 설립한 유일한의 제약회사 설립 동기나 목적은 오로지 국가와 민족에 대한 책임을 지는 데 있었습니다.

돈은 겨울이면 떨어져나갈 나뭇잎과 같습니다. 그런데 성경은 전도서 11장 1절에서 이렇게 기록하고 있습니다.

"너는 네 식물을 물 위에 던지라. 여러 날 후에 도로 찾으리라."

여기서 '네 식물(食物, your bread)'은 먹을 곡식, 즉 재산을 말합니다. 그런데 그것을 흘러가는 강물에 뿌리라는 것입니다. 그러면 그것을 찾지 못합니다. 하지만 '여러 날 후에 도로 찾으리라'고 하나님은 가르쳐 주십니다. 《표준 새 번역 성경》의 표현을 빌리면 '여러 날 뒤에 너는 많은 이유을 남길 것'이기 때문입니다.

이에 대해 《호크마 성경 주석》은 이 본문을 다음과 같이 설명하고 있습니다. 애굽(이집트)에는 나일 강이라는 큰 강이 있습니다. 전승에 의하면 나일 강이 범람하면 애굽 사람들이 배를 타고 강에 나가 강물에 씨를 뿌렸다고 합니다. 그리하면 얼마 후에 강물에 떠내려간 씨앗이 홍수가 몰고 내려온 주변의 옥토에 떨어져 풍성한 수확을 얻게 되었다고 합니다. 오늘 본문 말씀도 바로 이 같은 고대 이스라엘 주변 국가들의 농경 풍습을 염두에 두고 주어진 말씀입니다. 물 위에 먹을 것(씨앗)을 던지는 것은 지금 당장에는 아무 소용이 없는 일처럼 보일 겁니다. 그러나 때가 되면 그것은 풍성한 열매가 되어 던진 자에게(혹은 그 공동체에게) 다시 돌아온다는 뜻입니다.

결론입니다

어떻게 보면 정말로 '물 위에 빵을 던지는' 행위는 아무 소용이 없어 보입니다. 그러나 성경은 '물 위에 빵을 던지라'고 가르칩니다. 이것은 넓은 마음으로 선을 베풀라는 가르침입니다. 즉 사회적 책임을 지는 인격자의 성품을 가지라는 뜻입니다. 그리하면 하나님께서 반드시 갚아 주신다는 겁니다.

그래서 Contemporary English Version인 《영어 성경》은 '물 위에 빵을 던지라'는 오늘의 본문 말씀을 다음과 같이 풀어서 번역하였습니다.

"Be generous, and someday you will be rewarded."

푸짐하게 그리고 언젠가 반드시 후하게 돌아오리라고 말입니다.

이것이 소프트 파워의 힘입니다. 주었는데 다시 채워지는 경험, 책임을 졌는데 손해보는 것이 아니라 오히려 이득이 되는 것이 바로 책임이라는 가치입니다. 사랑하는 여러분은 모두 책임을 지는 가치관을 가지시기를 부탁드립니다.

하나님은 끝까지 책임을 지시는 하나님이시기에 찬양과 경배를 드립니다. 이 땅을 창조하시고 성실로서 지켜 오고 계십니다. 또 우리를 창조하셨고, 우리들을 구원하시기 위해 책임을 지시고 십자가에 예수님을 못박으셨습니다. 그러므로 예수님을 믿고 영접한 사람은 모두 예수님의 성령을 받았기 때문에 책임을 지는 사람이 될 줄 믿습니다. 때로는 책임을 지지 않고 도망가고 싶어도, 책임을 질 때는 항상 용기를 가지고 책임을 다하고 또 책임을 지키는 저희들이 되게 하여 주옵소서.

예수님의 이름으로 기도드립니다. 아멘.

사명을 다하는 것

Doing Your Mission

(말씀 _ 17)

| 본문 신명기 11:1 |

그런즉 네 하나님 여호와를 사랑하여 그가 주신 책무와 법도와 규례와 명령을 항상 지키라.

외울 말씀

"그런즉 네 하나님 여호와를 사랑하여 그가 주신 책무와 법도와 규례와 명령을 항상 지키라."(신 11:1)

관련 동영상

기장의 고백

외눈박이 물고기 닐슨

어느 연못에 외눈박이 물고기 샤링과 그의 아들인 외눈박이 물고기 닐슨이 살고 있었습니다. 샤링은 먹이를 구하러 나가 있는 동안 아들 닐슨이 잘 노는지 항상 걱정했습니다. 자신이 처음 이곳에 왔을 때 다른 물고기들로부터 받은 상처와 놀림을 잘 알고 있었기 때문이었습니다. 아들 닐슨에게만큼은 상처를 주고 싶지 않았습니다.

닐슨은 은빛물고기와 함께 다니고 있었습니다.

"엄마는 네가 은빛물고기와 다니지 않았으면 좋겠다."

"왜요? 엄마가 좋은 친구들을 많이 사귀라고 했잖아요."

"은빛물고기는 다른 물고기들이 서로 친하게 지내고 싶어 하는 물고기거든. 근데 너하고만 놀면 다른 물고기들이 너를 싫어할 수도 있잖아."

"아, 그건 걱정하지 마세요. 은빛물고기는 저 말고는 함께 이야기를 나눌 친구가 없대요. 저는 은빛물고기의 외로움을 달래주고 싶어요."

샤링은 어른스러운 아들의 대답이 대견스러우면서도 한 편으로는 걱정이 되었습니다. 외눈박이라는 특이한 신체 구조도 눈에 띄는 데다가 은빛물고기까지 함께 다니면 다른 물고기들의 미움을 받을 것이 뻔하기 때문이었습니다. 그리고 은빛물고기와 비교되는 외모도 신경이 쓰였습니다.

그래서 샤링은 연못에 거주하는 천사에게 찾아가 자신의 고민을 털어놓았습니다.

"닐슨이 연못에서 조용히 살았으면 좋겠어요. 어떻게 하면 좋을까요?"

"그렇게 자식을 믿지 못하나? 내가 알고 있는 자네의 모습이 아닌데."

"천사님은 모르세요. 외눈으로 세상을 살아가는 힘겨움을요. 두 눈을 가진 물고기들보다 위험을 이겨내야 할 수고가 두 배라고요. 그런데 이번엔 은빛물고기 때문에 우리 아이가 외톨이가 되어가고 있어요."

"자네, 연못 생활을 오래 해서 그런지 시력이 많이 떨어졌군. 어떻게 자식을 바라보는 시각이 그것밖에 안 되나? 자네는 지금 눈이 아니라 편견과 고정 관념으로 자식을 바라보고 있네."

"네? 그게 무슨 말씀이세요?"

"은빛물고기는 아름다운 외모를 가졌을지는 몰라도 늘 혼자라는 외로움으로 연못 생활에 행복을 느끼지 못하고 있다네. 반면 자네의 자식은 비록 한 쪽 눈을 가졌을지언정 그 친구가 바라보는 세상은 온통 호기심과 신기한 것들로 가득 차 있지. 그래서 닐슨은 두 눈을 가진 다른 물고기보다 빛나는 눈동자를 가졌다네. 그 눈동자는 은빛물고기의 광채보다 더 빛나고 있어. 왜 어머니인 자네는 자식의 눈동자를 똑바로 보지 못하는가?"

"그래도 어미로서 닐슨에게 항상 미안해요."

"전혀 그런 마음을 가질 필요 없네. 자네는 자식에게 외눈박이라는 장애를 준 것이 아니라 외눈박이 속에 들어간 아름다운 세상을 가져다 준 어머니일세. 어떤 눈을 가졌느냐 보다는 눈 속에 어떠한 세상을 담느냐가 더 중요하거든."

천사의 말을 들은 샤링은 그동안 자신의 기준으로 바라본 아들의 눈에 대한 편견이 한없이 부끄러웠습니다. 자신을 사랑하는 사람이 책임도 질 수 있는 법입니다.

죽더라도 책임을 져라

보통 서양식 건축을 할 때는 꼭 '비계(飛階, scaffold)'를 설치합니다. 건축 현장에 가보면 건물 외곽에 긴 나무 기둥을 세우고 널을 걸쳐 사람이 지탱하고 서서 일할 수 있도록 꾸민 것을 비계라고 합니다.

로마 시대에도 개선문이나 대성당을 지을 때 비계를 설치했습니다. 로마 역사를 보면, 로마인들은 건축물이 완성되어 비계를 해체할 때가 오면 독특한 의식을 치렀다고 합니다. 지금의 건물 준공식과 같은 것입니다.

개선문을 예를 들어 비계 해체 의식을 설명하면 이렇습니다. 관계자와 구경꾼들이 개선문 주변에 둥그렇게 모여서서 보는 가운데 작업부들이 비계를 하나씩하나씩 제거합니다. 이때 개선문 중앙에 한 사람을 세웠는데, 그는 바로 공사 감독관입니다.

공사가 잘못되면 비계를 해체할 때 그 건물이 무너지게 됩니다. 건물이 무너지면 그 밑에 있는 사람은 무너져 내린 벽돌 아래 깔려 죽게 되는데, 이때 모든 책임을 지라고 책임자인 공사 감독관을 그 자리에 세우는 겁니다. 그러니 공사 감독관은 정성을 다해 설계하고 감독할 수밖에 없겠지요.

사람은 지위가 있으면 책임도 커집니다. 학교에서 반장에 되면 그만큼의 책임이 더 커지고, 전교 회장이 되면 그 만큼의 책임이 더 커집니다. 또 사회에서 직위가 올라가면 책임도 올라가는 것이 이 세상의 법칙입니다.

히틀러는 책임을 회피했기 때문에 졌다

지도자는 책임을 져야 한다는 말을 지킨 사람은 처칠입니다. 모든 상황이 자신에게 불리하게 돌아갈 때도 처칠은 순순히 인신공격을 받아들였습니다. 의회 비공개 회의에서도 처칠은 자신의 실수를 순순히 인정했을 정도로 책임있는 정치를 했다고 합니다.

그와 반대로 히틀러는 전세가 독일에게 불리하게 돌아가자 그 이유를 끊임없이 남의 탓으로 돌렸다고 합니다. 히틀러는 먼저 자신의 천재성을 무시하는 장군들 그리고 독일 국민 전체에 책임을 전가했습니다.

처칠은 국민들의 사기를 붇돋우려 일부러 폭격 맞은 영국의 거리를 방문했습니다. 비록 정치인의 잘못으로 나라가 어려워졌다 하더라도 그 책임을 분명히 지겠다는 확고한 의지의 표현이었습니다. 반면 히틀러는 폭격 맞은 베를린을 시찰해서 공포에 떠는 시민들을 위로하자는 참모들의 의견을 묵살하며 단호하게 거절했습니다. 그뿐 아니라 전세가 기울자 자신의 초라한 모습을 보이지 않고 원망을 듣지 않으려고 히틀러는 승용차 안에 커튼을 쳐서 밖에서 안을 들여다보지 못하게 했다고 합니다.

1944년까지만 해도 국민들로부터 아첨을 받았던 히틀러가 국민들의 고통을 멀리한 것은 치명적인 실수였습니다. 히틀러는 전시에 거의 여행을 하지 않았다고 합니다. 이것은 그가 여행을 하며 시야를 키우지 않았기 때문에 만들어낸 비극 중 하나였습니다.

반면에 처칠은 역대 총리 중 여행을 가장 많이 했다고 합니다. 전쟁이 시작되고 처음 4년 동안 그는 바다에서 33일, 하늘에서 14일을 보내며 1만 1,000마일이라는 거리를 여행했다고 합니다.

특히 히틀러가 일찍이 모험을 해보았거나 독일 이외에 좋아하는 나라를 발견할 기회가 있었다면 1941년 12월 미국에 선전 포고는 하지 않았을 수도 있었다고 이야기합니다. 결국 그는 우물안 개구리였습니다.

이러한 것들이 히틀러에게 세계 전략에 관해서는 절대적으로 취약한 안목을 길러주었음은 두말하면 잔소리일 것입니다.

이것은 불행하게도 히틀러 주위에는 생각을 바꾸도록 조언해 줄 사람이 없었기 때문에 생긴 일이었습니다. 성공적인 지도자는 주위에 건설적인 비판을 해주는 사람들로 둘러싸여 있습니다. 처칠에게는 앨런브룩이 있었고, 스탈린에게는 안토노프, 루스벨트에게는 조지 마샬 장군이 있었습니다. 책임을 떠안는 리더에게는 도와주는 참모들이 모이고, 남에게 책임을 떠넘기는 리더는 좋은 참모를 만날 수 없습니다.

만약 여러분들이 좋은 친구들을 많이 사귀고 싶다면 항상 책임질 일이 생기면 즉시로 책임을 지고 대가를 치루는 사람이 되어야 합니다. 그러면 반드시 좋은 친구들로 넘쳐나게 될 것입니다.

결론입니다

사람만이 책임을 집니다. 물론 하나님은 책임을 다하십니다. 책임은 지 · 정 · 의가 있는 인격자만이 가질 수 있는 가치관이고, 그 가치관을 가지고 있을 때 솟아 나오는 성품입니다.

책임지는 성품은 하루아침에 생기지 않습니다. 작은 일부터 조금씩 책임을 지겠다는 각오를 가지고 일에 임하고, 또 결과를 책임질 때 반드시 가치관이 자라고 성품이 커지게 됩니다. 저는 여러분들이 모두 책임에 강한 사람이 될 줄 믿습니다.

영국이 낳은 문호 칼라일은 일찍이 다음과 같은 말을 하였습니다.

“그대가 하는 일이 미천하다고 낙심치 말라. 그대가 하는 일은 하나님께서 그대에게만 맡기신 가장 중요한 일이다. 집안을 정리하는 단순한 일일지라도 마음먹고 그 일을 잘하라. 만일 그대의 책임 범위가 넓고 관계되는 일이 많으면 더욱 그리해야 할 것이다. 만일 그대에게 부모와 처자와 형제와 자매가 있으면 그들에 대한 그대의 책임이 얼마나 큰 것인지 기억하고, 그들로 하여금 실망케 말지어다. 우리가 최선을 다하는 것은 곧 세상의 여러 가지 불행이 생기지 않게 하는 최선의 방법이다."

또한 영국의 시인 키플링은 다음과 같은 말을 했습니다.

"나라를 위해 충성을 다하는 것은 별다른 것이 아니라 보이는 연장을 잡아 눈앞에 있는 작은 일에 최선을 다하는 것이다."

진정 큰 인물은 아무도 보아주지 않더라도 말없이 자신에게 주어진 책임을 다하는 사람입니다. 그리스도인들에게 있어서는 작은 생명 하나를 살리는 것을 생의 최대 목표로 여기고, 지금도 누군가를 용서하고 누군가를 위하여 생명의 소식, 복음을 전하는 일일 겁니다. 이런 사람은 비록 세상이 알아주지 않는다 해도 하늘의 큰 자요, 위대한 자입니다.

지금 당신이 하는 일은 무엇입니까?

하나님은 책임을 지고 이 땅을 창조하시고 지금도 책임을 다하시며 다스리심을 믿습니다. 책임을 다하시는 하나님을 찬양합니다. 하지만 우리는 무책임한 삶을 살고 있습니다. 자연에 대해 무책임하고 서로 어울려 사는 세상에 대해서도 무책임합니다. 저희가 사탄의 꾐에 빠져 무책임한 삶을 살지 않도록 도와주시옵소서.

예수님의 이름으로 기도드립니다. 아멘.

만족함을 얻습니다

Get Satisfaction

(말씀 _ 18)

| 본문 민수기 1:53 |

레위인은 증거의 성막 사방에 진을 쳐서 이스라엘 자손의 회중에게 진노가 임하지 않게 할 것이라 레위인은 증거의 성막에 대한 책임을 지킬지니라 하셨음이라.

외울 말씀

"너희가 너희의 땅에서 곡식을 거둘 때에 너는 밭 모퉁이까지 다 거두지 말고 네 떨어진 이삭도 줍지 말며 네 포도원의 열매를 다 따지 말며 네 포도원에 떨어진 열매도 줍지 말고 가난한 사람과 거류민을 위하여 버려두라 나는 너희의 하나님 여호와이니라."(레 19:9-10)

관련 동영상

신용호

케네디의 책임 리더십

미국의 대통령 중 두 번째로 존경을 받는 사람이 누군지 아십니까? 바로 존 F 케네디 대통령입니다.

케네디 하면 가장 기억에 남을 만한 연설이 있습니다.

"국가가 국민을 위해 무엇을 해줄 것인가를 묻지 말고, 스스로 조국을 위해 무엇을 할 것인지를 물어라."

살아 생전 당시 인기율이 70%를 넘는 대통령은 거의 없었습니다. 하지만 케네디는 항상 책임을 지고, 고통을 나누고, 서로 나누자는 이야기로 사람들을 설득해서 미국 최고의 대통령 중 한 사람이 되었습니다.

그가 대통령이었을 때 이야기입니다. 미국의 코앞에 있는 쿠바에는 피델 카스트로라는 공산주의 독재자가 있었습니다. 그는 이 사람을 무너뜨리기 위해 정부에서 지원을 하게 합니다. 목적은 쿠바에서 망명한 이민자들을 위한 것이었습니다. 미국은 쿠바의 피그만을 공격했으나 그만 실패하고 말았습니다. 많은 희생을 하고 끝나버린 것입니다. 그러자 많은 국민들이 이 사건에 대해 비난을 하게 되었습니다. 하지만 케네디는 이 계획을 주관하였던 행정부를 비난하지 않았습니다. 그리고 대신에 "전적으로 나의 책임이다."라는 말을 남겼습니다. 그리고 자신이 대신 욕을 먹었습니다. 사람들은 잠시 동안 케네디를 비난했지만, 이내 욕은 그 일을 시행한 CIA와 행정부가 먹어야 할 것임을 깨닫게 되었습니다. 그러자 케네디를 더욱 존경하게 되었습니다.

책임을 지면 당장은 억울하고 변명도 하고 싶을 겁니다. 그러나 책임을 지게 되면 그때부터는 변명이나 회피가 아니라 문제를 해결할 수 있는 길이 열립니다. 그러니 참된 그리스도인이자 리더가 되기를 꿈꾼다면 책임은 내가 지고 공은 친구들에게 돌릴 줄 아는 사람이 되어야 합니다.

시장 봉사로 성공한 자의 책임 - 시티즌스 오블리지

책임 이야기가 나왔으니 말인데, 언젠가 필자가 책에서 이야기한 적이 있는 사람이 한 분 있습니다. 그 한 분이 누구일까요?

교보생명의 창업자이신 대산 고 신용호 회장님이십니다. 그분은 항상 "앞선 자는 뒤 사람에 대한 책임이 있고, 많이 가진 사람은 많이 못 가진 사람에 대한 책임이 있다."고 말씀하셨습니다. 그래서 그 책임이 다른 사람의 디딤돌이 된다고 믿었습니다.

그분은 교보생명 창립식에서 "남보다 덜 쉬고 덜 자고 일하지 않는 이상 어찌 남보다 더 잘살 수 있겠냐? 하지만 더 잘산다는 사람이 자기보다 못사는 사람에 대한 책임을 느끼지 못하면 어찌하겠는가?"라고 한 말은 유명합니다. 정말 멋진 말이 아닙니까?

교육보험 사업으로 크게 성공을 거두었던 신 회장님은 정치 · 사회적으로 격동기였던 1981년 교보문고라는 서점을 세우는 결단을 내리게 됩니다. 그당시에는 출판업계가 매우 침체에 빠져 있었던 만큼 그것은 쉬운 결정이 아니었습니다.

하지만 대산 신용호 회장님은 이런 말을 하면서 반대하는 직원들의 동의를 이끌어냈습니다.

"이 사통팔달, 한국 제일의 목(目)인 광화문 광장에 방황하는 청소년을 위한 멍석을 깔아줍시다. 와서 사람과 만나고, 책과 만나고, 지혜와 만나고, 희망과 만나게 합시다. 이곳에 와서 책을 서서 보려면 서서 보고, 기대서 보려면 기대서 보고, 앉아서 보려면 앉아서 보고, 베껴 가려면 베껴 가고, 반나절 보고 가려면 반나절 보고, 하루 종일 보고 싶으면 하루 종일 보고, 그리고 다시 제자리에 꽂아 놓고, 사지 않아도 되고, 사고 싶으면 사 들고 가도 좋습니다."

결국 그 해 6월 1일, 금싸라기 땅인 종로 1가 1번지 교보빌딩 지하에 교보문고의 문을 열게 되었습니다. 이렇게 해서 오늘날 전국에 교보문고라는 책을 안 사도 되는, 종일 책만 읽다가 가도 되는 도서관형 서점이 생긴 겁니다. 이런 결정을 내린 이유는 많이 가진 부자들이 사회적으로 가져야 할 책임, 즉 시티즌스 오블리주(citizen's oblige, 시민적 책무)라는 철학 때문이었습니다.

하나님은 이미 성경에서 부자들의 책임에 대해 이렇게 말씀하고 계십니다.

"너희가 너희의 땅에서 곡식을 거둘 때에 너는 밭모퉁이까지 다 거두지 말고 네 떨어진 이삭도 줍지 말며 네 포도원의 열매를 다 따지 말며 네 포도원에 떨어진 열매도 줍지 말고 가난한 사람과 거류민을 위하여 버려두라 나는 너희의 하나님 여호와이니라."(레 19:9-10)

왜 추수할 때 떨어진 이삭을 줍지 말라고 하실까요? 또 왜 논이나 밭은 다 추수하지 말고 한 귀퉁이에 일부의 곡식을 남겨 놓으라고 하실까요? 포도원에서 포도도 다 따지 말고 남겨두며, 떨어진 포도송이도 그대로 남겨 두라고 말씀하십니다. 이것을 이스라엘 말로 '제데카'라고 합니다.

제데카 훈련

이스라엘 사람들은 레위기 19장 9절 10절 말씀을 생활에 구체적으로 실천하기 위하여 아이가 태어나면 어려서부터 부모가 돈을 주면서 남을 돕게 만듭니다. 그래서 가정마다 제데카라는 헌금함이 있습니다. 돈이 생길 때마다 가난한 사람을 위하여 모아두게 합니다. 그리고 자선 단체에 주거나 직접 그늘진 곳을 찾아가 주게 합니다.

또 마을마다 자선단체가 있습니다. 수억 내지 수십억이 쌓여 있습니다. 그러나 가난한 사람이 없어서 그냥 모아 두고 있는 마을도 있습니다.

어느 마을 아이에게 물었습니다.

"너의 장래 희망이 무엇이냐?"

그 아이는 서슴없이 대답합니다.

"예. 이 마을에서 하나밖에 없는 거지가 되기를 원합니다."

유대인들이 부요(富饒)한 이유가 있습니다. 주기 때문입니다. 어려서부터 이런 훈련을 받기 때문입니다. 세계에서 제일 사랑을 실천하는 나라는 이스라엘 백성들입니다. 탈무드에 모세의 이야기가 나옵니다. 모세가 죽기 전에 율법 강의를 하였다고 합니다.

"만일에 모든 이스라엘 백성들이 구제를 베푼다면 이스라엘에는 가난한 사람들이 없어질 것입니다. 돈을 빌려주는 이도, 돈을 꾸는 이도 사라지게 될 것입니다."

2009년 여름

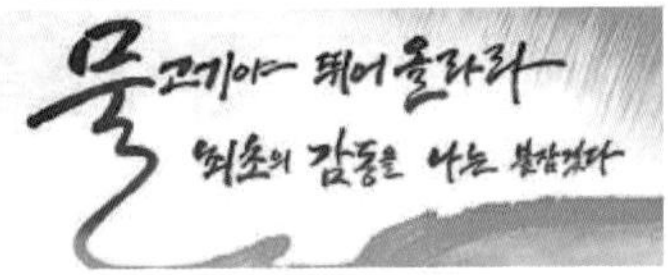

2006년 겨울

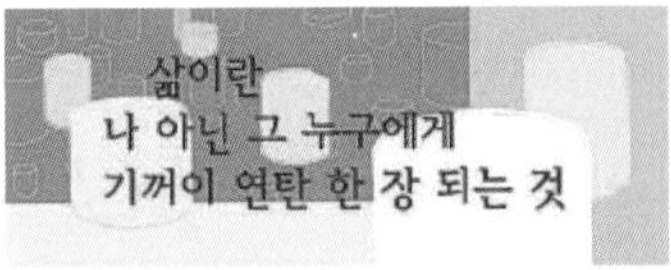

2005년 봄

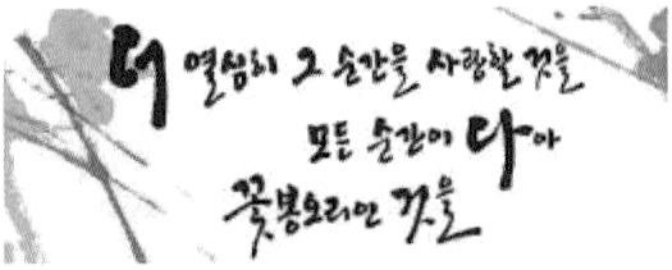

1998년 봄

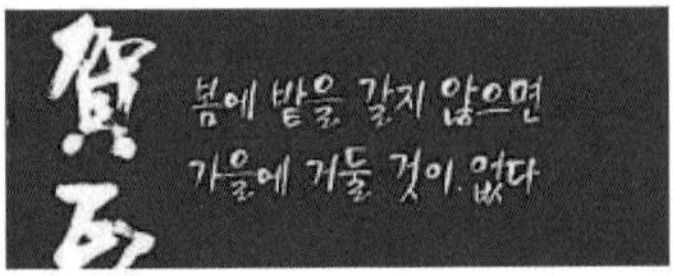

이런 강의를 마치고 질문과 대답이 이어졌습니다.

질문 : 구제를 베풀어야 할 사람이 많고 돈은 한정되어 있다면 누구부터 구제하여야 합니까?

대답 : 먼저 가족부터 구제하여야 합니다. 그리고 나서 알지 못하는 이들을 구제하여야 합니다. 그리고 이방인과 유대인이 같이 있으면 유대인부터 구제하여야 합니다.

질문 : 가난한 이가 두 번째로 와도 구제하여야 합니까?

대답 : 그렇습니다. 그가 자꾸만 와도 당신이 할 수 있는 한 자꾸만 구제하여야 합니다. 그가 오기를 그치지 않으면 당신은 주기를 그치지 말아야 합니다.

질문 : 내 소득 중에서 얼마를 내놓아야 가장 적당한 구제가 됩니까?

대답 : 10분의 1이 가장 적당합니다. 만일 더 하고 싶으면 더 하여도 됩니다. 그러나 당신이 가난하다면 그 정도에서 그치는 것이 좋습니다. 5분의 1 이상을 구제하지 마십시오. 당신도 구제의 대상이 될지 모르기 때문입니다.

질문 : 만일 내가 구제할 비용을 다 썼는데 다른 사람이 오면 빈손으로 돌려보내도 됩니까?

대답 : 만일 그에게 줄 돈이 없다면 친절을 주십시오. 그리고 그에게 줄 수 없는 형편임을 잘 말하고 기쁜 마음으로 돌아가게 하여야 합니다. 그에게 용기를 주었다면 돈을

준 것보다 더 많이 준 것입니다.

질문 : 만일 자존심 때문에 받지 않으려 하는 이가 있다면 어떻게 하여야 합니까?

대답 : 그가 당황하지 않게 줄 수 있는 방법을 연구하여 주어야 합니다. 누가 주었는지 모르게 주는 것이 가장 좋은 자선입니다.

이렇게 유대인 어머니는 자식에게 어려서부터 제데카 교육을 시킵니다. 이것은 가진 자의 책임에 대한 유대인 어머니의 가르침입니다.

결론입니다

사랑하는 여러분!

책임은 인격을 가진 사람만이 가질 수 있는 성품입니다. 하나님은 우리를 사랑하시기 때문에 끝까지 책임을 지십니다. 창세기 3장 5절에서 "여자의 후손이 너희를 구원하리라"는 약속을 하시고 약 5천 년이 지난 다음 예수님이 동정녀 마라아에게서 태어나게 하심으로써 약속을 지키시고 책임을 지셨습니다. 또한 우리를 사랑하시되 끝까지 사랑하시겠다고 약속하셨습니다.

요한복음 13:1에 이렇게 기록되어 있습니다.

"유월절 전에 예수께서 자기가 세상을 떠나 아버지께로 돌아가실 때가 이른 줄 아시고 세상에 있는 자기 사람들을 사랑하시되 끝까지 사랑하시니라."

우리는 하나님의 책임지시는 사랑을 본받아 우리도 친구 사이에서도 책임을 지고, 맡은 일에 대해서도 책임을 지고, 나보다 연약하고 없는 사람에 대해서도 책임질 줄 아는 인격을 길러야 합니다. 하나님은 우리가 책임질 줄 아는 사람이 되기를 원하심을 꼭 깨닫기를 바랍니다.

하나님 아버지!

사랑하고 찬양합니다. 우리를 사랑하시고 예수님을 보내어 하나님의 자녀로 삼아주심을 감사합니다. 하나님은 말씀하시면 책임을 지시고, 또 약속하시면 반드시 이루심을 믿습니다. 우리는 하나님의 자녀이기 때문에 닮아야 합니다. 하나님의 성품을 닮아 책임을 지는 인격으로 성장하게 하여 주옵소서. 책임을 지다 손해를 보더라도 책임질 줄 아는 성품의 사람이 되게 하여 주옵소서.

예수님의 이름으로 기도합니다. 아멘!

무섭지 않아요! 난 할 수 있어요!

It's not scary! I can do it!

(말씀 _ 19)

삼상 16:17-20

사울이 신하에게 이르되 나를 위하여 잘 타는 사람을 구하여 내게로 데려오라 하니 소년 중 한 사람이 대답하여 이르되 내가 베들레헴 사람 이새의 아들을 본즉 수금을 탈 줄 알고 용기와 무용과 구변이 있는 준수한 자라 여호와께서 그와 함께 계시더이다 하더라 사울이 이에 전령들을 이새에게 보내어 이르되 양 치는 네 아들 다윗을 내게로 보내라 하매 이새가 떡과 한 가죽부대의 포도주와 염소 새끼를 나귀에 실리고 그의 아들 다윗을 시켜 사울에게 보내니.

외울 말씀

"소년 중 한 사람이 대답하여 이르되 내가 베들레헴 사람 이새의 아들을 본 즉 수금을 탈 줄 알고 용기와 무용과 구변이 있는 준수한 자라 여호와께서 그와 함께 계시더이다 하더라."(삼상 16:18)

관련 동영상

용기

꿀을 얻을 수 있는 이유

사람에겐 가끔씩 견디기 힘든 일이 닥칩니다. 그러나 힘든 일을 잘 이겨내야 그것이 우리를 더욱 강하게 만든다는 걸 이해하게 되어 용기를 가질 수 있습니다. 그런 의미에서 꿀에 대한 이야기를 한 번 들어 보세요.

벌을 키워 꿀을 모으는 어떤 양봉업자가 필리핀에 갔습니다. 필리핀은 항상 여름이라 꽃이 항상 피어 있는 것을 보고 양봉업자는 문득 생각하였습니다.

'아하, 여기서 벌을 키우면 많은 꿀을 딸 수 있겠구나!'

그래서 양봉업자는 시험적으로 벌통 10개를 가지고 필리핀으로 날아갔습니다. 얼마 못되어 벌통에는 꿀이 가득해졌습니다. 양봉업자는 한국으로 돌아와 빚을 내서 벌통 100개를 사들고 필리핀으로 갔습니다. 첫 해에는 벌통 100개에서 두 번이나 꿀을 따서 돈을 많이 벌 수 있었습니다. 그는 다음 해에는 돈을 더 많이 벌 수 있다는 생각을 하면서 좋아했습니다.

그런데 다음 해에 문제가 생겼습니다. 꿀을 한 번밖에 못 땄습니다. 하지만 곧 잘 되겠지 하면서 그 다음 해를 기다렸습니다. 그런데 그 다음 해는 더욱 큰 문제가 생겼습니다. 꿀이 거의 모이지 않았던 것입니다. 결국 그 양봉업자는 망했습니다.

'왜 망한 것일까?'

아무리 생각해도 이해가 되지 않았습니다. 그러면서 벌들을 관찰하기 시작했습니다. 꿀벌들이 꿀을 모으는 이유는 꽃이 없는 추운 겨울을 나기 위해 저축하는 것이란 것을 알았습니다. 그런데 항상 여름인 필리핀에서는 꽃이 언제나 피어 있으니 굳이 꿀을 모을 필요가 없었던 것입니다. 꿀은 겨울이라는 험한 환경이 있어야 얻을 수 있는 열매이기 때문입니다.

사람의 삶도 비슷합니다. 항상 좋은 환경에 있으면 못할 것이 없으니까 편하긴 합니다. 하지만 힘든 환경을 경험하지 않고는 얻을 수 없는 지혜도 있습니다. 때때로 어려운 환경이 우리를 완성하기도 합니다. 어려운 환경이나 도전을 맞아들일 수 있는 마음의 자세가 용기입니다. 눈앞에 보이는 작은 시련 때문에 도전을 멈추거나 노력을 포기하면 나는 머물러 있는 것이 아니라 뒤로 후퇴하는 것입니다. 그것을 도태된다고 표현합니다.

실패가 나를 만들었다

흑인으로서는 최고의 인기를 누리고 있는 방송인 오프라 윈프리라는 여성 방송인이 미국에 있답니다. 하지만 그녀가 처음부터 대단한 사람은 아니었습니다. 왜냐하면 그녀는 누구와 비교할 수

{오프라 윈프리의 10계명}

1. 남들의 호감을 얻으려 애쓰지 말라.
2. 앞으로 나아가기 위해 외적인 것에 의존하지 말라.
3. 일과 삶이 최대한 조화를 이루도록 노력하라.
4. 주변에 험담하는 사람들을 멀리하라.
5. 다른 사람들에게 친절하라.
6. 중독된 것들을 끊어라.
7. 당신에 버금가는 혹은 당신보다 나은 사람들로 주위를 채워라.
8. 돈 때문에 하는 일이 아니라면 돈 생각은 아예 잊어라.
9. 당신의 권한을 다른 사람에게 넘겨주지 말라.
10. 포기하지 말라.

없을 정도로 어두운 어린 시절을 보냈기 때문입니다. 특히 인종 차별이 심한 미국에서, 그것도 미시시피 주의 가난한 집에서 아빠 없는 아이로 태어난 그녀는 어른이 될 때까지 외가에서 자랐습니다. 엄마는 파출부를 하였고, 아버지는 집을 나가 떠돌며 살았습니다.

오프라는 어린 시절부터 많은 학대를 당한 경험이 있었습니다. 그 때문에 너무 힘들어서 나쁜 친구들을 사귀고, 심지어 미성년자 때 마약에 손을 대기도 했답니다. 그 때문에 소녀 감호원에도 갔었습니다. 그곳에서 책을 읽기 시작했습니다. 책 속에서 많은 위인들의 이야기를 읽고 그들에게서 한 가지로 공동적으로 나타나는 중요한 가치관을 발견합니다. 그것이 무엇인지 아세요?

"용기!"

오프라가 용기라는 말을 입에 담기 시작한 순간부터 마음속에서는 이런 생각이 자리잡기 시작했습니다.

'난 이제부터 현실을 피해 도망가지 않겠소!'

또 이런 생각도 가지기 시작했습니다.

'나도 언젠가는 사람들에게 용기 있게 싸웠다고 말하고 싶어!'

성경은 말합니다.

'사탄 마귀가 우는 사자와 같이 삼킬 자를 찾는다'고 말입니다.

하지만 자세히 보면 그 사자와 같은 마귀와 마귀가 가져오는 환경의 어려움은 이미 예수님이 십자가를 통해 그 머리를 상하게 했습니다. 어둠의 주인 사탄과 마귀는 머리를 십자가로 두들겨 맞아 피를 철철 흘리고 이빨은 다 망가져 우리를 물 수 없습니다. 다만 우리에게 겁을 주어 용기를 잃게 만들 뿐입니다. 그러므로 하나님의 사람은 용기를 잃지 않습니다.

사랑하는 여러분!

다니엘은 사자굴 속에 들어가서도 용기를 잃지 않았습니다. 우리가 위험한 상황에 놓일수록 주님이 함께하십니다.

용기를 가질 뿐 아니라 주는 사람이 되라

이 세상에는 용기를 주는 사람도 있고, 오히려 겁을 잔뜩 안겨 주는 사람도 있습니다. 저는 여러분이 용기를 가진 사람일 뿐 아니라 용기를 전하는 사람이 되기를 바랍니다. 여러분들에게는 용기 바이러스가 있기 때문입니다.

오프라가 유명인이 되자 조롱하는 사람들이 많았습니다. 하지만 자신의 힘들었던 과거를 일부러 들추어 내 비판하는 사람들에게 이렇게 말합니다.

“내가 학대를 당하고, 여러 가지 일에 실패한 경험이 있기 때문에 지금 비슷한 경험을 하고 있는 사람들을 도울 수 있는 겁니다. 여러분! 용기를 잃지 마십시오. 여러분이 용기만 내면 어떤 환경도 이길 수 있습니다.”

곤경과 실패에 용기로 맞서 싸운 오프라는 위기가 오히려 기회를 만든다는 것을 깨달은 것입니다. 정말 오프라 윈프리는 자신의 삶으로 용기를 보여주었습니다. 그래서 세계 사람들은 더욱 그녀를 좋아하고 존경하는 게 아닐까요.

용기가 신화를 낳는다

오프라를 미국 토크쇼의 여왕으로 부른답니다. 그녀는 자신의 이름을 내건 토크쇼인 "오프라 윈프리 쇼"로 세계 1억 4,000만 애청자들의 사랑을 받는 방송인이 되었습니다. 세계를 움직이는 가장 영향력 있는 인물 1위에 오르기도 했습니다.

한때 우리나라 텔레비전 방송에서 "책을 읽읍시다"란 프로그램을 방영한 적이 있었습니다. 그런데 이 프로도 사실은 오프라 윈프리의 쇼 북클럽 코너인 "독서가 내 인생을 바꿨습니다"를 벤치마킹한 것이라고 합니다.

오프라 윈프리는 용기를 성경에서 더욱 구체적으로 배웠다고 말했습니다. 다윗은 비록 어린 나이였지만 자기보다 키가 두 배 큰 골리앗을 상대로 이렇게 말했다고 늘 말했습니다.

"너는 칼과 단창으로 내게 나아오거니와 나는 만군의 여호와의 이름 곧 네가 모욕하는 이스라엘 군대의 하나님의 이름으로 네게 나아가노라!"

오프라는 주일이면 시카고 남부 트리니티 유나이티드 연합교회에서 예배를 드리고 매일 《오늘의 말씀(The Daily Word)》을 읽으며 하나님과 동행하는 신앙의 사람이라고 합니다.

그녀는 자서전에서 이렇게 고백했습니다.

"저는 항상 주님의 음성을 듣습니다. 그리고 힘들 때는 용기를 얻습니다. 마음에 용기가 사라질 때는 성경책을 손에 꼭 쥐고 아레사 프랭클린(Aretha Franklin)의 "어메이징 그레이스(찬송가 405장)"를 들어요. 그리고 스스로 이렇게 묻지요. '오프라, 너는 희생자가 아니야! 하나님이 너를 용기 있는 사람으로 만드시기 위해 시련을 사용하는 거야. 그러니 너도 사람들에게 용기를 전하는 사람이 되렴!"

이렇게 성공한 오프라 윈프리이지만 그녀가 처음부터 용기가 가득했던 사람은 아니였습니다. 그녀는 외할머니 댁에서 미혼모의 딸로 태어났습니다. 그녀의 이모가 성경에 나오는 인물의 이름을 따서 '올파'라고 이름을 지어주었습니다. 하지만 출생신고서에 철자를 잘못 적는 바람에 오프라가 되고 말았습니다.

오프라는 어린 시절부터 성경 읽기를 좋아했고 여러 교회를 돌아다니며 성경 낭송을 하기도 했습니다. 또한 또래친구들보

다 훨씬 더 많은 책을 읽기도 했습니다. 그래서 오프라의 반 친구들은 그녀를 '설교하는 여자'라고 부르곤 했답니다. 사람들은 오프라가 하는 이야기를 듣는 걸 좋아했습니다.

그녀도 그 시절을 다음과 같이 말했습니다.

"전 여덟 살 때부터 말하기 챔피언이었어요. 여자들의 모임, 연회, 교회 행사 등 어디서나 이야기를 했죠. 말하자면 순회 공연을 한 거였어요."

하지만 오프라의 어린 시절은 마냥 행복하지는 않았습니다. 어머니가 가정부로 일하느라 바빠서 제대로 돌봐주지 않았기 때문입니다. 어머니는 종종 이웃과 친척들에게 오프라와 동생을 맡기곤 했습니다. 오프라는 아홉 살 때 열아홉 살 먹은 사촌 오빠에게 성폭행을 당했던 아픈 기억을 가지고 그때부터 성격이 비뚤어지기 시작했습니다. 열한 살 때는 믿고 따랐던 옆집 아저씨에게 성폭행을 당했고, 나중에는 삼촌에게도 성폭행을 당하고 말았습니다.

그녀는 어디다 하소연도 못한 채 오랫동안 성적 학대를 당하며 살았던 것입니다. 그것은 참으로 견디기 힘든 일이었습니다. 더욱이 열네 살 때는 원하지 않은 임신까지 하고 말았습니다. 그녀는 엄청난 스트레스에 시달린 나머지 조산을 했고, 아이는 태어난 지 2주 만에 죽고 말았습니다.

오프라는 10대 때부터 감당하기 어려운 일들을 겪어야 했습니다. 그녀의 인생은 정말 불행한 일들의 연속이었습니다. 하지만 그녀는 인생을 포기하지 않았습니다. 그녀는 고등학교에 다니면서 엄청 열심히 책을 읽었습니다. 그녀는 열심히 학교 생활을 했고 학생회 부회장에도 당선됐습니다. 그뿐만이 아닙니다. 그녀는 '미스 화재 예방' 대회라는 미인 대회에 나가서 백인 미녀들과 겨뤄 당당히 왕관을 쓰기도 했습니다. 솔직하고 자신감 넘치는 그녀의 태도와 이야기에 모두들 반한 것입니다.

용기를 잃지 않을 때 행운이 온다

용기를 잃지 않고 무엇이든지 도전하자 드디어 그녀에게도 작은 행운이 찾아왔습니다. 고등학교에 다닐 때였습니다. 지방 방송국에서 뉴스 아나운서 아르바이트를 하게 된 것입니다. 그곳에서 차츰차츰 두각을 나타내기 시작했습니다. 독서를 통해 얻은 방대한 지식과 아무것도 거침이 없는 그녀의 말에 사람들이 매료되기 시작했습니다. 얼마 후 대학을 가게 되고 대학 방송국에서 더 큰 두각을 드러내고, 결국 유명한 앵커가 되어 사람들의 칭찬과 부러움을 한몸에 받는 여인이 되었습니다.

결론입니다

사랑하는 여러분!

오프라 윈프리는 불행한 일들을 겪었지만 결코 자신의 인생을 포기하지 않고 용기를 가지고 자기 앞에 놓인 문제들과 싸워나갔습니다. 그렇기 때문에 너무나도 큰 축복을 누리는 결과를 얻게 되었습니다.

그녀는 자서전에서 이렇게 말했습니다.

"강간당하고 학대당하고 매질당하고 거부당하는 가운데서 살아남을 수 있는 길은 오직 하나밖에 없었어요. 그것은 용기를 잃지 말자 였어요! 열네 살이라는 나이의 임신, 생활 보호 대상자인 어머니, 살이 쪄서 뚱뚱해지고, 인기가 떨어지는 데 대한 두려움을 이길 수 있는 길은 오직 하나밖에 없었어요. 저는 오직 하나님에 대한 믿음과 성경에서 보여주는 믿음 있는 사람들의 용기였어요. 이것으로 이 모든 고난을 헤쳐 나올 수 있었어요."

오프라 윈프리를 비판하는 사람들은 그녀가 흑인이라느니, 미시시피 산골 출신이라느니, 뚱뚱하다느니, 마약을 했다느니, 강간당했다느니, 사생아를 낳은 여자라느니 하면서 불행했던 과거를 들추곤 합니다.

하지만 그때마다 전 세계 1억 4,000만 명의 시청자들에게 오히려 더 당당하게 다음과 같이 말했습니다.

"그 말은 모두 다 맞다. 그래서 그게 뭐 어쨌는데? 그러니까 오프라 윈프리 아냐?"

오프라 윈프리는 사람들을 향해 이렇게 말했습니다.

"저같은 사람도 무엇인가를 할 수 있다는 것을 보여주고 싶습니다. 그래야 저보다 더 힘든 사람들도 언젠가는 일어서지 않겠습니까? 그러니 여러분 비난만 하지 말고 용기를 내라고 격려해 주세요. 그러면 신화가 생깁니다."

용기를 잃으면 모든 것을 잃습니다. 용기는 다시 도전할 수 있다는 마음입니다. 우리가 뭔가를 하려면 이 가치관이 있어야 하고, 내 안에 용기라는 성품이 자라야 합니다. 용기를 주시는 분은 하나님이십니다. 하나님은 힘의 근원이시기 때문에 하나님을 의지하는 자는 용기와 새 힘을 주신다고 약속하셨습니다.

하나님!

언제나 힘든 자에게 힘을 주시고, 무서워 하는 자에게 용기를 주심을 찬양합니다. 저는 너무나 나약하고 용기가 없어서 늘 도망다니곤 합니다. 용기가 없어서 사람들 앞에도 잘 나서지 못합니다. 저에게 하나님의 선물인 용기를 주세요. 그래서 다윗처럼 다니엘처럼 위기와 위험에 그리고 불의에 맞설 수 있게 하여 주세요. 용기를 체험하여 다른 사람에게도 용기를 붇돋우어주는 사람이 되게 하여 주세요.

예수님의 이름으로 기도합니다. 아멘!

마음의 엔진

Engine of mind

(말씀 _ 20)

미가서 3:7-8

선견자가 부끄러워하며 술객이 수치를 당하여 다 입술을 가릴 것은 하나님이 응답하지 아니하심이거니와 오직 나는 여호와의 영으로 말미암아 능력과 정의와 용기로 충만해져서 야곱의 허물과 이스라엘의 죄를 그들에게 보이리라.

외울 말씀

"오직 나는 여호와의 영으로 말미암아 능력과 정의와 용기로 충만해져서 야곱의 허물과 이스라엘의 죄를 그들에게 보이리라."(미가서 3:8)

관련 동영상

넬슨 만델라

어려운 환경이 지혜를 만들어 준다

혹시 넬슨 만델라라는 분을 아시나요? 그분은 350년간 계속된 남아프리카공화국의 인종 차별 정책을 끝낸 인물이랍니다. 그리고 오랜 감옥 생활을 끝내고 남아프리카 최초의 흑인 대통령이 된 사람입니다. 오늘은 만델라 대통령의 이야기부터 해 보려고 합니다.

만델라는 자라면서 아프리카의 옛날 이야기를 많이 들었습니다. 그러면서 아프리카 사람들의 잃어버린 자유에 대해 알게 되었습니다. 청년이 되어서는 자유가 없어서 당하는 차별이 얼마나 억울하고 부끄러운 일인지를 자주 경험하게 되었답니다.

2월 11일, 1990년

만델라, 27년 만에 석방

인종 차별 정책인 아파르트헤이트에 반대하는 무장 항쟁의 주도자로 체포되 27년이라는 기나 긴 수감 생활을 보내던 넬슨 만델라가 1990년 2월 11일, 마침내 석방된다. 남아프리카공화국 최초의 흑인 변호사였던 그는 흑인 해방 운동에 전념하던 중 1962년 체포되 종신형을 선고받았다. 10,000일의 수감 생활 후 석방된 그는 백인 정부와의 협상끝에 흑백 차별 없는 총선 실시에 합의하여 인종 차별의 종식을 고했다. 1993년 노벨평화상을 공동 수상하고, 1994년 대통령에 당선된 넬슨의 아프리카어 본명은 롤리흘라흘라다.

원래 남아프리카공화국은 흑인들의 땅이었지만, 네덜란드인들이, 그리고 그 이후 영국이 차지해 350년 동안 흑인을 차별하고 자유를 빼앗고 그들만의 나라로 만들어가고 있었습니다. 그래서 흑인들의 고향이지만 남아프리카 땅은 흑인들이 사는 지역과 백인들이 사는 지역이 다를 정도로 차별이 심했습니다. 이러한 문제를 깨달은 만델라는 누군가는 용기 있는 사람이 남아프리카를 해방시켜야 한다고 생각하였습니다. 하지만 그것이 자신의 일이라곤 상상조차 하지 못했습니다. 왜냐하면 그것은 아주 힘있고 용기있는 사람만이 할 수 있는 일이라고 생각했거든요.

물론 누구보다 정의롭고 자존심 강했던 만델라였지만, 자기 민족에게 자유를 주기 위해 목숨을 바칠 용기를 낼 수는 없었습니다. 하지만 남아프리카의 동족들은 해가 갈수록 더욱 힘든 나날을 보낼 수밖에 없었습니다. 그때 그는 출애굽기에서 모세를 보았습니다. 자기 민족을 구하기 위해 하나님 앞에서 용기를 냈던 모세를 보면서, 자신도 이제는 더 이상 가만히 당하고만 살 수 없다고 생각한 것입니다. 그리고 총을 들고 게릴라 항전에 몸을 던졌습니다.

"아프리카가 원래 누구의 땅인데. 감히… 용서할 수 없다."

"우리는 절대 미개한 민족이 아니야! 다만 기회가 없었을 뿐이야!"

아프리카의 검은 전사단은 소규모 전투에서 많이 승리하였습니다. 하지만 수많은 전투를 거듭할수록 거대한 백인들의 힘 앞에 게릴라들의 항전은 말 그대로 계란으로 바위치기였습니다. 결국 게릴라로 활동하던 그는 백인 정부군에게 잡혔습니다.

"아! 분하다. 하지만 우리 동지들이 반드시 이길 것이다."

만델라를 잡은 정부군은 그가 진정으로 항복하고 정부의 말을 듣기를 원했습니다. 하지만 조국의 독립을 꿈꾸던 만델라는 말합니다.

"내가 죽으면 우리 자손들이 반드시 독립을 할 것이요. 나는 당신들에게 잡혔지만 머리를 숙이진 않겠소!"

그리고는 투옥되었습니다. 그리고 외딴섬에 갇혔습니다. 만델라는 젊은 혈기에 감옥에서도 그냥 있지 않았습니다.

"우리가 여기 이 감옥에서 저들이 주는 밥을 먹고 허송세월을 보낸다는 것은 저들에게 굴복하는 것이다. 투쟁하라, 투쟁하라!"

그렇게 죄수들을 선동하여 여러 번 매를 맞았습니다. 그렇게 27년이 흘렀습니다. 이제 나이가 들어 늙어버린 만델라는 감옥에서 그의 동료들에게 이렇게 말하기 시작했습니다.

"싸우는 것만이 최선은 아니다. 살아야 한다. 그리고 살아서 조국의 독립을 보면서 그들에게 우리가 더 자비로웠다는 것을 보여주어야 한다. 진정한 용기는 자비로움이다.”

감옥 생활을 하는 동안 만델라는 진정한 용기가 무엇인지 깨달은 것입니다. 그래서 동료 죄수뿐만 아니라 그들을 가둔 백인 간수들도 사랑하기 시작합니다. 그 소문이 전 세계로 퍼져나가고 국제 사회가 앞장 서 남아프리카공화국이 흑인을 차별하는 법을 철폐하고 동등하게 시민의 자격과 투표권을 주는 나라가 되도록 만들었습니다. 그리고 그가 풀려났습니다. 그가 풀려나던 날 사람들은 그를 보고 너무 놀랐습니다. 젊은 시절에 감옥에 들어갔다가 백발이 희끗희끗해서야 풀려났는데도 만델라는 너무 건강했기 때문입니다.

나의 용기는 사랑하는 것

만델라는 대통령이 되고 난 후 자서전에서 이렇게 썼습니다.

“다른 사람들은 죄수들에게 주어지는 노동 시간이 되면 원망스러운 마음으로 끌려갔지만, 저는 좁은 감옥보다 넓은 자연으로 나가는 것이 즐거웠습니다.

노동을 하느라 몸은 힘들었지만 하늘을 보고 새소리를 들을 수 있었기 때문에 기쁜 마음으로 일했습니다. 그리고 진정한 용기란 내 자신과 다른 사람에게 자비를 베푸는 것임을 깨달았습니다."

남들은 자신을 감옥에 가둔 사람들을 못 잊어 마음속에 분노와 미움을 키우고 있을 때, 만델라는 감옥 뒤뜰에서 채소를 가꾸며 생명의 신비로움을 느끼며 참된 용기를 기르며 26년을 보낸 것입니다.

그리고 그는 진심으로 자신을 가둔 사람들을 용서한다고 밝혔습니다. 1993년 만델라는 자신을 가둔 정부를 용서한 그 일로, 당시 대통령이던 르 클레르크와 함께 공동으로 노벨평화상을 받았습니다. 그리고 전 세계의 갇힌 자, 억눌린 자, 소외된 자들의 희망이 되었습니다. 그는 자기를 때리고 가두고 동포를 죽음으로 몰아넣은 사람들을 아무 조건 없이 용서하는 용기로 모든 사람들에게 참된 용기와 희망을 보여주었습니다.

때때로 사람들은 옳은 것을 위해 싸울 수밖에 없다고 합니다. 하지만 그렇게 싸우면 평화는 영영 오지 않을 수도 있습니다. 불의나 억압에 맞서 싸우는 용기보다 더 큰 용기가 필요한 때는 바로 용서할 때입니다. 만델라를 보면 우리는 그것을 알 수 있습니다.

어려운 환경이라고 자학하고 도망치며 악순환의 길로 접어드는 것은 용기 없는 못난이가 하는 짓입니다. 또 당장 힘들고 어렵다고 힘든 환경에서 도망치면, 나중엔 더 큰 어려움에 맞닥뜨리게 됩니다.

참된 것을 말할 용기

용기는 또한 진리와 참되다고 생각하는 것을 말하고 실천할 때도 필요합니다. 사회주의 국가였던 구소련이 민주주의 국가인 러시아로 바뀌었습니다. 그런데 그 일에 결정적 역할을 한 정치 지도자가 있습니다. 우리는 20세기의 가장 위대한 정치가라를 이 사람이라고 말할 수 있습니다. 그 정치 지도자의 이름이 누구일까요? 그는 소련의 미하일 고르바초프입니다. 그분은 그 공으로 노벨평화상을 받았습니다.

상을 받은 뒤 기자들에게 이런 말을 했습니다.

"나는 부모님에게서 상식을 배웠습니다. 시골 사람들은 자연, 우주, 세계, 그리고 진정한 삶에 대한 자신들의 생각을 갖고 있습니다. 그들은 땅에서 태어나 땅에서 살아갑니다. 그들은 그 땅을 잘 알고 있고 깊은 애정을 갖고 있습니다. 그들은 종종 고개를 들어 하늘을 쳐다봅니다. 그것은 단지 비를 몰고 오는 구름을 보기 위해서가 아닙니다. 하늘과 교감하기 위해서입니다. 그들은 그렇게 땅과 하늘과 별과 구름 등의 자연과 교감하는 생활을 합니다. 그들은 매우 간단한 자연의 상식을 갖고 있습니다. 나는 그들에게서 소박함과 겸손을 배웠습니다. 시골에서는 마을 사람들이 하나로 뭉쳐야만 농사를 제대로 지을 수 있습니다. 그래서 시골 사람들은 남을 생각하는 너그러운 마음을 가지고 있고, 한 마을 사람들끼리 단결이 잘 됩니다. 나는 어린 시절 이러한 것을 보고 자랐습니다. 이 깨우침은 나의 일생 동안 많은 영향을 미쳤습니다. 나는 내 뿌리가 농촌이라는 점이 자랑스럽습니다."

상식에 맞춰 사는 것은 쉬운 일처럼 보일 수도 있습니다. 하지만 작은 상식 하나 지키지 않아서 자기 자신뿐 아니라 많은 사람들을 파멸로 끌고 가는 사람도 적지 않습니다.

미하일 고르바초프는 인류 보편의 상식인 자유와 평등과 인권을 위해 이 세상 어떤 이념보다도 더 무서운 공산주의와 목숨을 걸고 투쟁했습니다. 자신을 조금만 더 속이면 스탈린처럼 장기 집권을 할 수 있음에도 불구하고 공산주의 체제로는 결코 소련이 부강한 나라가 될 수 없고, 사람이 살 수 있는 나라가 될 수 없다는 것을 깨닫고 개혁을 시작한 진정한 용기를 가진 사람입니다.

"소련은 공산주의 때문에 100년을 퇴보했다."

"소련 사람들에게 자유와 희망 · 인권을 보장할 때 소련은 더욱 발전할 수 있다."

이런 말을 외친 그는 1985년 소련 공산당 서기장으로 임명되자마다 개혁과 개방을 표방하였습니다. 그리고 서방 세계에 협조를 구했습니다.

당시 공산혁명을 통해 힘과 피로 이룩한 구소련 사회주의 연방은 그동안 수많은 공산주의 국가들을 통해 전쟁을 일으키고 미국과 끝임없이 군비 경쟁을 해서 세계를 위험에 빠뜨렸습니다. 하지만 70년 가까이 시행된 공산주의 정책은 구소련을 세계에서 가장 자유가 없는 나라, 경제적으로 몰락한 나라, 인권이 짓밟히는 나라로 만들었습니다. 소련식 사회주의 경제는 노동자와 농민의 천국을 만들겠다고 시작했지만 실패에 실패를 거듭했습니다. 그런데도 정치인들이 그것을 숨기고 국민들을 억압하기만 했습니다. 국민들도 모두 정책이 잘못됐다는 것을 알고 있었습니다. 하지만 비판했다가는 쥐도 새로 모르게 끌려가 탄압을 받을지도 모른다고 생각해 가만히 있었습니다. 한마디로 용기가 없었던 것입니다. 정치가들은 기득권이 사라질까봐 가만히 있었습니다. 그러는 동안 구소련은 점점 더 빚만 지고 가난한 나라가 되고 말았습니다.

그런데 1989년 1월 10일 소련 공산당 중앙위원회에서 한 정치가가 목숨을 걸고 연설을 합니다.

"나는 나의 양심과 상식을 가지고 여러분 앞에서 말합니다. 우리 조국이 과연 제대로 된 길을 가는가 하고 물었을 때 나는 분명 우리가 가는 길이 틀렸다고 말하고 싶습니다. 아닌 것을 아니라고 말할 수 있는 용기와 국가적인 분위기가 형성돼 있지 않다면 나는 그것을 정상적인 국가요, 정치라고 말하기 어렵다고 생각합니다. 우리는 분명 잘못된 길로 가고 있으며, 이제는 솔직하게 되돌아서서 다른 길로 갈 용기가 필요하다고 생각합니다."

이 용기 있는 연설로 고르바초프 대통령이 국민들의 지지를 얻기 시작했습니다. 하지만 여전히 공산당 조직과 국가보안위원회(KGB)의 반발은 멈추지 않았습니다.

목숨을 건 용기가 없었다면 이 말을 꺼낼 수 없었기에 고르바쵸프는 다시 말하기 시작했습니다.

"우리는 오늘 일찍이 역사상 그 유례를 찾아볼 수 없는 총회를 열고 있습니다. 소련 사회의 민주화를 위한 페레스트로이카(개혁)가 새로운 단계로 진입했습니다. 민주화 개혁과 글라스노스트(개방)의 기운이 일어나고, 또한 인민의 정치 활동이 활성화되고 있는 지금의 사회 분위기는 페레스트로이카가 가져다 준 것입니다. 이제부터라도 우리는 우리가 잃어버린 것이 무엇인지 찾아 제자리로 돌려놓아야 한다고 생각합니다. 그것이 저의 자유와 희망과 미래에 대한 꿈입니다."

결론입니다

그가 한 말은 공산주의 국가에서는 반동에 속하는 발언입니다. 반동이란 말은 동지(同志)가 아니라는 뜻입니다. 그리고 반동분자로 낙인이 찍히면 죽음 아니면 노동 수용소에 가야했습니다.

하지만 그는 이에 굴하지 않고 이렇게 주장했습니다.

"이대로 가다간 우리 소련의 모든 인민들이 다 굶어 죽습니다. 우리가 믿어왔던 공산 사회주의는 이미 그 효력이 없다는 것이 판명됐습니다. 그러니 이제 솔직히 공산주의를 버리고 민주주의 자본주의의 방법으로 되돌아갑시다."

여러분!

고르바초프의 이 용기 있는 연설과 같이 우리도 아닌 것은 아니라고 말하고 고칠 수 있는 용기가 필요합니다. 소련이 사라진 자리에 러시아연방이 새로 탄생하듯이 용기 있는 사람 앞에 하나님이 원하시는 미래가 열리게 됩니다.

하나님 아버지!

역사의 어려운 시기에는 꼭 용기 있는 사람을 세우셔서 다시금 하나님의 뜻대로 이루어가심을 찬양합니다. 저도 이 나라의 미래를 바꾸며, 세계의 위기를 바로 잡는 데 일생을 바치도록 용기를 주옵소서. 친구를 괴롭히는 못된 친구들을 꾸짖고 불의와 거짓을 말하는 사람을 바로 잡을 수 있는 용기를 주옵소서.

예수님의 이름으로 기도합니다. 아멘.

하고 싶은 일을 이루는 것

to do what you want to do

(말씀 _ 21)

시 119:156-160

여호와여 주의 긍휼이 많으오니 주의 규례들에 따라 나를 살리소서

나를 핍박하는 자들과 나의 대적들이 많으나 나는 주의 증거들에서 떠나지 아니하였나이다 주의 말씀을 지키지 아니하는 거짓된 자들을 내가 보고 슬퍼하였나이다 내가 주의 법도들을 사랑함을 보옵소서 여호와여 주의 인자하심을 따라 나를 살리소서 주의 말씀의 강령은 진리이오니 주의 의로운 모든 규례들은 영원하리이다.

외울 말씀

"너는 담대하라 우리가 우리 백성과 우리 하나님의 성읍들을 위하여 담대히 하자 여호와께서 선히 여기시는 대로 행하시기를 원하노라 하고."(삼하 10:12)

관련 동영상

안용복

맨몸으로 일본과 맞선 독도의 수호신

독도에 대해 모르는 한국인은 없을 겁니다. 그런데 일본이 독도를 자기네 땅이라고 우기는 이유가 대마도를 빼앗기지 않으려고 하는 것인 줄 아는 사람은 많지 않습니다.

우리나라 초대 대통령인 이승만 박사는 우리 정부가 수립되자마자 일본에게 대마도를 반환하라는 포고령을 발표했습니다. 그리고 국제 사회에 대마도가 우리나라 땅이라는 것을 호소하고 일본이 대마도를 반환해야 한다고 만천하에 공포했어요.

그런데 그만 김일성의 6.25 남침이 일어나면서 대마도 반환 문제가 사그라지고 말았습니다. 그러자 일본은 대마도를 빼앗기지 않으려고 독도 문제를 들고 나와서 거꾸로 생떼를 쓰고 있답니다.

그런데 독도 문제에 대해 한참 오래전에 일본에게 독도는 우리 땅이라는 사실 확인을 받아 놓은 사람이 있어요. 혹시 그분이 누군지 아시나요?

바로 안용복 장군입니다. 《춘관지》라는 책에 안용복 장군의 활동이 자세하게 나와 있습니다. 그분이 아니었다면 지금 독도는 이미 우리 땅이 아닐지도 모를 일입니다.

그런데 안용복 장군의 계급은 노꾼이었습니다. 노꾼이란 배의 노를 젓는 군인이란 뜻으로, 노군(櫓軍)이라고 적는데, 보통은 노꾼이라고 불렀습니다. 그렇다면 왜 군선의 노를 젓는 하급 군졸이었던 안용복을 장군이라고 부르고, '충무공 이순신함', '문무대왕함', '대조영함'과 함께 안용복의 이름을 딴 안용복함이라는 구축함까지 만들었을까요?

임진왜란 직후 조선왕조의 통치력이 약화된 때였습니다. 그 틈을 타서 왜인들은 자기들 멋대로 독도를 다케시마라 부르면서 몰래 강치를 잡거나 나무를 도벌하기 위해 무단 점령했습니다. 1614년에는 쓰시마도주가 울릉도로 가는 길을 안내해 달라는 사신을 보내기도 해 우리나라는 이를 거듭 물리치기도 했습니다. 그러나 일본인의 울릉도와 독도에 대한 침구(侵寇)는 계속되었습니다.

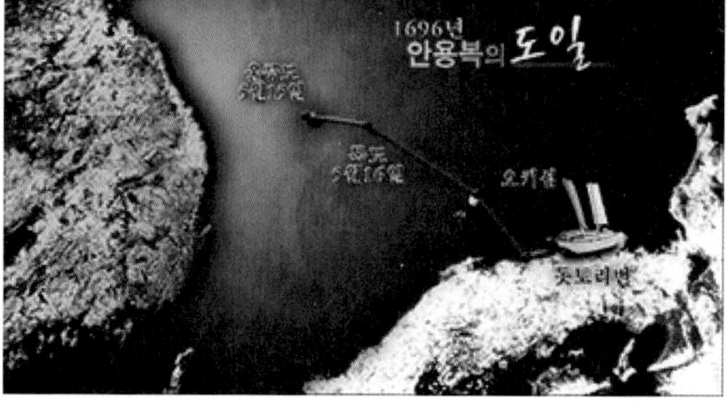

한편 조선 정부의 접근 금지 조치에도 불구하고, 조선의 어부들은 조상 대대로 내려온 어장인 울릉도와 독도 근해에서 고기잡이를 계속하고 있었습니다. 그러다가 1693년 안용복과 박어둔을 중심으로 한 동래와 울산의 어부 40여 명이 울릉도에서 일본 어부들과 충돌하게 되었습니다. 이 일로 인해 울릉도와 독도의 주인이 누구냐를 놓고 약 6년간에 걸친 한 · 일 간의 외교 논쟁이 발생하게 되었습니다.

이 논쟁은 울릉도를 다케시마라 칭하고 마치 별개의 섬인 양하여, 울릉도를 일본 영토화하려는 쓰시마도주의 계략이 안용복 장군의 증언으로 무산되기에 이릅니다. 그리고 안용복의 노력으로 조선 조정은 일본에 강력하게 대응하게 됩니다. 정부의 확고한 의지를 알게 된 안용복은 혈혈단신 일본으로 건너가 일본 조정에 항의합니다.

"나는 조선 정부의 녹을 먹고 있는 공무원이다. 비록 혼자 왔지만 독도가 다께시마가 아니라 조선 고유의 영토이며 대대손손 우리는 이 바다에서 고기잡이를 하고 있다. 그러므로 왜인들의 배가 독도 근처에 나타난다면 포격을 하여 침몰시킬 뿐만 아니라 조선이 가만 있지 않을 것이다."

안용복 장군의 용기와 기개에 놀란 왜나라 조정은 그 기세 눌려 각서를 쓰서 안용복 장군에 줍니다.

"이후 다시는 울릉도 등지에 왕래하지 않겠습니다."

왜나라 막부의 문서를 받아낸 안용복 장군은 의기양양하여 대마도를 거쳐 부산으로 돌아오는 중이었습니다. 하지만 그만 돌아오는 길에 쓰시마도주에게 그것을 뺏기고 말았습니다. 그리고 50여 일간이나 갇혔습니다. 그다음 부산 왜관으로 옮겨져 또 40일을 구금되기에 이릅니다. 더욱 가관인 것은 동래부사에게 호되게 욕을 먹습니다.

"너는 일개 졸병이 나라의 허가도 없이 국경을 넘어 왜나라로 가서 정부를 사칭하여 망발을 일삼았으니 엄벌에 처함이 마땅하도다."

결국 공을 인정받지도 못하고 중한 벌만 받고 맙니다. 대부분의 사람은 이쯤되면 의기가 소침해져 하던 일도 멈추고 원망만 할 것입니다. 하지만 안용복 장군은 그로부터 2년 후 옥에서 나오자 마자 울릉도로 갑니다.

"내 비록 내 공로를 인정받기는커녕 모욕만 당했지만, 그것은 그것이고 우리의 강토(疆土)를 왜놈들에게 내어 줄 순 없다. 그러므로 나라가 지켜주지 않는다면 이 땅에서 나고 자란 우리들이라도 지켜야 한다."

이 말을 남기고 다시 일본의 오키도로 들어가게 됩니다. 그리고 그는 오키도주를 만나 울릉도 · 독도의 감세관이라 속이고, "다시 왜인들이 울릉도 근처에서 고기잡이를 하면 가차 없이 죽이겠다."고 경고를 하기에 이릅니다.

용기는 하다가 멈추지 않는 것

안용복 장군은 오키도주를 통해 쓰시마도주가 야심을 가지고 울릉도를 탐내고 있다는 사실과 그의 죄상을 추궁하여 서약서를 받아 의기양양하게 강원도 양양으로 돌아옵니다.

그런데 강원도 감사 심평은 안용복 장군에게 상은 고사하고 도리어 그를 체포하여 한양으로 압송합니다.

"네 놈이 나라와 관의 허락도 없이 국경을 넘어 스스로 관리라고 속여 외교를 어지럽혔으니 죽어 마땅하도다."

안용복 장군은 정말 억울했습니다.

"나랏님들이 백성과 땅을 지켜주지 않으니 저희들이라도 대신 지켜야 되지 않겠습니까? 임진왜란 때 나라를 지킨 사람들이 누구입니까? 각지에서 일어난 의병들 아닙니까? 강토를 빼앗기는데 의병이 된 심정으로 일본놈들의 잘못을 밝혀 왔는데 벌이라니 너무 하십니다."

앞뒤를 모르는 관리들은 안용복 장군을 처형하려고 하였지만 다행이 원로 대신들의 변호로 사형은 면하고 귀양을 가게 되어 귀양지에서 일생을 마치게 되었습니다.

비록 안용복의 공은 당대에는 인정받지 못했지만, 그가 국경을 넘어 일본으로부터 사죄와 시인을 받아온 일은 헛되지 않았습니다. 일본의 쇼군이 있는 막부에서는 안용복의 항의로 "다케시마는 조선 땅인 것이 명백하다"고 밝히게 되었기 때문입니다. 그리고 왜인들이 울릉도에 나가는 것을 금했으며, 그 뜻을 조선 정부에 통고하도록 쓰시마도주에게 명하기까지 했습니다. 쓰시마도주는 내심 불쾌했으나 막부의 명인지라 할 수 없이 1696년 10월 우리나라에 그 뜻을 전하고 숙종 23년 2월 정식으로 동래부사 이세재에게 서찰을 보내게 된답니다.

"울릉도와 독도는 원래 조선의 영토로서 그곳에서 조선인들이 고기를 잡고 터전을 잡는 것은 당연하며, 우리가 그곳에 접근하여 고기를 잡는 것은 남의 나라 영토를 침범하는 것이다."

당시 사건을 은폐하고 방치하기만 했던 조선 대신들의 모습은 참으로 한심하기 그지없습니다. 하지만 이에 비해 민간 외교관으로서 한국인의 지혜와 용기를 전 세계에 알린 안용복 장군은 자랑스러운 인물로 평가받습니다.

결론입니다

안용복이 위대한 것은 그가 한 일이 누가 시켜서 한 일이 아니라는 겁니다. 조선의 백성으로서 독도를 지키는 일은 누가 시키지 않아도 해야 할 당연한 일이라고 생각한 것입니다. 하지만 생각은 누구나 할 수 있지만 그것을 용기 있게 추진하는 사람은 많지 않습니다. 용기 있는 사람은 옳다고 생각한 일은 누가 말려도 꼭 실천합니다.

안용복 장군은 훗날 나라에서 주는 큰 상을 받았습니다. 그리고 장군이라는 칭호를 얻게 되었습니다. 그는 꼭 해야만 하는 일을 실천할 때는 진정한 용기가 있다는 것을 보여준 사람입니다. 여러분들은 하고 싶은 일이 있을 때 망설이지 않고 용기를 가지고 실천하는 사람이 되기를 진심으로 부탁드립니다.

꿈과 용기가 있는 사람은 결코 포기하거나 좌절하지 않습니다. 에드먼드 힐러리라는 한 영국 청년이 세계에서 가장 높은 산인 에베레스트 산을 등정하려고 했으나, 그만 좌절되고 말았습니다.

그러나 그는 용기를 내어 이렇게 말했습니다.

“에베레스트 산이여! 너는 자라지 못한다. 그러나 나는 자랄 것이다. 나의 힘도 능력도 자랄 것이다. 또 내가 구비한 장비도 더 나아질 것이다. 그래서 나는 다시 돌아오겠다. 기다려라. 나는 다시 산에 오를 것이다.”

이 말을 한 에드먼드 힐러리는 10년 후인 1953년 5월 29일, 에베레스트 산 등정에 재도전하여 마침내 그 산을 정복했습니다. 도전 정신과 용기만 있다면 자신이 원하는 삶을 이루어갈 수 있습니다. 마음속에서 용기가 자라나도록 해야 합니다. 도전하는 용기 있는 사람들이 삶을 멋지게 살아갈 수 있습니다.

하나님 아버지!

우리에게 필요한 용기를 주심을 찬양합니다. 어떤 일을 이루기 위해서는 반드시 용기가 필요함을 깨달았습니다. 저희로 하여금 생각만 하고 행동을 멈추는 용기 없는 사람이 아니라, 정말 중요한 일이라고 생각이 들면 십자가를 앞에 두고 용기 있게 지셨던 예수님처럼 나의 십자가를 기쁘게 지고 가게 하여 주옵소서.

예수님의 이름으로 기도드립니다. 아멘!

진리를 알 때 자유가 와요

The truth will make you free

(말씀 _ 22)

요 8:31-34

그러므로 예수께서 자기를 믿은 유대인들에게 이르시되 너희가 내 말에 거하면 참으로 내 제자가 되고 진리를 알지니 진리가 너희를 자유롭게 하리라 그들이 대답하되 우리가 아브라함의 자손이라 남의 종이 된 적이 없거늘 어찌하여 우리가 자유롭게 되리라 하느냐 예수께서 대답하시되 진실로 너희에게 이르노니 죄를 범하는 자마다 죄의 종이라.

외울 말씀

"진리를 알지니 진리가 너희를 자유롭게 하리라."(요 8:34)

관련 동영상

장보고

멀리 내다보며 일을 도모하거라

이솝우화에 이런 이야기가 있습니다.

"하늘만 보고 걷던 천문학자는 발밑을 보지 못해 허방에 빠진다. 반대로 발밑만 보고 걷는 사람은 기둥에 부딪치기 일쑤다. 그래서 훌륭한 지도자는 멀리도 보고, 바로 발밑의 현실도 볼 줄 아는 사람이란다."

흑인의 자유를 선언한 링컨

자유를 생각하면 우리가 빼놓을 수 없는 한 분이 미국의 제16대 대통령인 아브라함 링컨입니다. 그는 미국 역사상 가장 존경받는 대통령입니다. 그렇다면 링컨은 어떻게 해서 위대한 대통령이 될 수 있었을까요?

"저는 어릴 적 읽은 한 권의 책 때문에 일평생 제가 해야 할 일이 무엇인지 정해졌습니다."

기자들은 그 책이 무엇인지 궁금해서 물었습니다.

"각하! 도대체 일생을 걸고 해야 할 일을 깨달았다는 그 책의 제목은 무엇입니까?"

사람들은 세계의 명작이나, 아니면 수준 높은 철학서라고 생각하고 귀를 쫑긋 세웠습니다.

그런데 어이없게도

"제가 어릴 적 읽었던 그 책의 이름은 여러분이 잘 알고 있는 《엉클 톰스 캐빈》입니다."

"그 책은 아이들이나 청소년들이 읽는 동화책 아닙니까?"

"네! 맞습니다. 짧은 동화이지만 저는 그 책이 나보다 남을 생각하고 모든 사람은 평등하다는 생각을 가지고 겸손해야 한다는 것을 가르쳐 준 위대한 책이라고 생각합니다."

《엉클 톰스 캐빈》은 시대적 배경은 19세기 초로, 흑인 노예들에 관한 얘기입니다.

켄터키 주 셸비 농장에서 일하는 흑인 노예들은 마음씨 좋은 주인 밑에서 일하며 행복한 생활을 하고 있었습니다. 그러나 셸비 가족의 경제적 파탄으로 인해 흑인 노예들에게 비참한 운명이 다가오게 됩니다. 빚을 갚기 위해 셸비는 노예 두 명을 팔기로 하는데, 두 노예 중 한 명이 이 소설의 주인공 톰입니다. 톰은 매우 지혜로워서 셸비 가족으로부터 신임과 함께 동료 노예들의 존경도 받는 인물이었습니다.

다른 노예들은 모두 도망가는 것으로 고난을 피해가지만, 톰은 자신이 믿고 따르던 주인의 결정에 순순히 따랐습니다. 그는 뉴올리언스로 팔려가 노예상인 해리의 노예가 되었습니다. 그가 팔려가던 중 톰은 물에 빠져 위기에 처한 노예주인 세인트 클레어의 딸 에바를 구했고, 클레어는 고마운 나머지 톰을 해리에게서 사서 자신의 노예로 삼았습니다.

어디를 보아도 우리와 똑같은 사람이지만 톰은 단지 피부색이 다르다는 이유 때문에 결국은 비참한 죽음을 당하고 맙니다. 고문으로 인해 톰의 생명이 거의 끊어질 무렵 톰의 원래 주인 셸비의 아들 조지 셸비가 톰을 찾아왔지만, 그와의 짧은 만남을 뒤로 하고 톰은 숨을 거두게 됩니다.

조지 셸비는 톰의 비극적 죽음에 대해 분노하여 고향 켄터키로 돌아가 톰의 이름으로 집안에 귀속된 모든 노예들을 해방시켜 주었습니다. 그리고 노예들에게 이런 말을 남깁니다.

"너희들이 톰 아저씨의 오두막을 볼 때마다 너희들의 자유를 생각하거라."

《엉클 톰스 캐빈》은 미국 남북전쟁이 일어나기 10년 전에 나온 책으로, 해리엇 비처 스토가 지은 유명한 작품입니다. 스토는 문학을 매개체로 노예 제도의 횡포와 폐단을 비판하기로 하고 《엉클 톰스 캐빈》을 1852년에 《네셔널이러(National Era)》에 연재하게 됩니다. 《엉클 톰스 캐빈》의 역사적 큰 의미는 남북전쟁을 일으키게 하는 도화선이 되었다는 겁니다.

남북전쟁의 영웅 링컨은 후일 작가인 스토와 대면하게 되었습니다.

"당신은 책 한 권으로 전쟁을 일으킨 여성입니다."

"그 전쟁을 승리로 이끌어 흑인들에게 자유를 주신 진정한 투사는 대통령님이십니다."

이렇게 서로 농담을 했습니다. 노예 해방과 자유에 있어 스토의 이 작품은 엄청난 위력을 발휘한 것입니다.

자유는 비전을 준다

성공한 기업들이 보여주는 공통적인 특징이 있습니다. 그것은 남들이 잘되는 것을 따라가는 게 아니라 멀리 내다 보고 새로운 것을 찾고 개척하는 정신입니다. 그것을 블루오션 전략이라고 합니다. 그런데 이 블루오션을 찾으려면 무엇보다 자유로운 생각, 자유로운 사유(思惟)를 할 줄 알아야 합니다. 생각이 갇혀 있는 사람은 행동도 제한적일 수밖에 없기 때문입니다. 하늘을 좋아한다고 하늘만 쳐다보는 사람, 바다를 좋아한다고 바다만 바라보는 사람, 곤충을 좋아한다고 곤충만 편애해서는 편협된 사람이 될 수밖에 없다는 뜻입니다.

그렇다면 한국에서는 누가 자유로운 의식을 가지고 최초로 블루오션 전략을 통해 기업가 정신을 발휘했을까요? 물론 역사적 고증이 필요하겠지만 아직까지는 '해상왕' 장보고가 그 대표적인 인물로 평가되고 있습니다. 한국경제교육학회에서 펴낸 교과서 "차세대 고등학교 경제"편을 보면 장보고가 어떻게 기업가 정신을 발휘했는지 알 수 있습니다.

장보고는 해상 상업 제국을 '청해진'에 이룩한 해상 무역왕이었습니다. 여기서 말하는 청해진이란 통일신라 시대인 828년(흥덕왕 3년) 장보고(張保皐)에 의해 지금의 완도에 설치된 군사용 진지(軍鎭)를 말합니다.

1200년 전 장보고는 신분 차별이 심한 신라 사회에서 당당히 실력으로 극복하여 당대 최고의 해상왕이 되었습니다. 중국 · 일본 · 신라에 근거지를 두고 해상 무역권을 장악하였을 뿐 아니라, 동양 3국의 무역을 주도하였습니다. 그래서 서방 세계와의 무역을 총괄하는 명실상부한 무역왕이 되었던 것입니다.

"나는 비록 신분이 귀하지는 못하다. 하지만 바다에서는 신분이 아니라 실력이 중요하다. 땅에는 주인이 있고 왕이 있지만 바다에는 주인이 없고 왕이 없다. 그 길을 다니는 자가 주인이요, 왕이다. 자! 나와 함께 손을 잡고 바다를 주름잡을 자 없느냐?"

장보고는 가는 곳마다 자신이 바다의 주인이 될 수 있다고 사람들을 설득했습니다. 처음 사람들은 보잘 것 없는 그를 비웃었습니다.

"저 사람이 무엇을 믿고 저렇게 설쳐대지. 바다가 얼마나 사나운데, 저 조그만 배로 파도와 부딪혔다간 뼈도 못 추릴걸!"

그렇게 말하면서 사람들은 쉽게 장보고를 따라 나서지 않았습니다. 심지어는 이렇게 말하는 사람도 있었습니다.

"저 사람이 필시 해적이 되려고 저러는 걸거야! 바다에 나간들 쌀이 나와 고기가 나와. 어떻게 바다에서 돈을 번다고. 그렇다면 도적질밖에 더 있겠어?"

하지만 장보고는 해상에도 엄연히 길이 있다는 것을 깨달았습니다. 일찍이 중국과 다른 나라들을 돌아보면서 그 나라에 흔한 물품과 비싼 물품을 서로 교역하면 훌륭한 돈벌이가 된다는 것을 깨달은 것이죠. 그래서 장보고는 민간 무역을 하기 위한 사전 조사에 들어갔습니다. 그리고 당나라와 왜나라 간의 중개 무역을 통해 신라는 가만 앉아 있어도 이익을 챙길 수 있다는 것을 깨달았습니다.

그가 이렇게 해상 무역의 새로운 역사를 열 수 있었던 것은 기존의 고정관념에 사로잡히지 않았기 때문입니다. 당시 신라는 골품제도라는 신분 질서에 찌들어 있었습니다. 때문에 있는 것을 유지하고 관리하는 데는 월등했지만, 자유로운 생각을 가지고 진취적인 행동에는 많은 제한이 있었습니다. 그러나 장보고는 신라의 귀족들과는 달리 고정관념이 없었습니다. 즉 자유로운 생각, 엉뚱한 생각을 할 수 있었단 얘기입니다.

당시도 그랬지만 지금도 조금 남다르게 엉뚱한 생각을 하는 사람이 지금까지 없던 것을 만들기도 하고 새로운 방법을 고안하기도 하는 법입니다.

자유 안에 비전이 생긴다

사람은 자유가 있어야 비전이 생깁니다. 틀에 갇혀 있거나 생각에 장애가 있는 사람은 멀리 그리고 넓게 볼 수 없는 법입니다. 성경이 말하는 자유는 방종이나 마음대로 하는 것이 아닙니다. 누려야 할 자유입니다.

요한복음 17:3절에 보면 "진리를 알지니 진리가 너희를 자유케 하리라"고 했습니다. 성경은 우리가 종이 아니라 자유인이라고 말씀하고 있습니다. 진리가 없는 사람이 자유를 가지게 되면 반드시 방종하며 방탕하게 됩니다. 자유를 위한 자유가 아니라 무엇을 위한 자유가 되어야 하는 이유가 여기에 있습니다. 하나님의 자녀는 진리 안에서 자유를 누리는 사람입니다. 하나님의 진리는 모든 사람이 진리를 알며 하나님을 영화롭게 하는 것입니다.

당나라에서 여단장 급인 서주 무령군(武寧軍)의 소장(少將)을 역임했던 장보고의 그 이후의 역할과 활동은 신라보다는 당시 중국 당나라에서 더 알아 주었다고 합니다. 그 덕택에 장보고는 중국에서 바다의 신(海神)으로 추앙받았습니다. 어떻게 해서 120년 전, 비천한 신분이면서도 한국 · 중국 · 일본을 포함하는 거대한 무역과 해상에서의 주인 노릇을 할 수 있었을까요?

그 이유는 대략 네 가지로 생각해 볼 수 있습니다.

첫째, 장보고는 시대를 읽는 남다른 눈을 가지고 있었습니다.

장보고는 조공 무역(작은 나라가 큰 나라와 불평등하게 하는 무역)이 점점 사라지고 자유로운 민간 무역이 도래할 것을 예측했습니다. 그리하여 동북아를 각각의 나라로 따로 생각하지 않고 하나의 시장(市長, market)으로 보고 미리 대비한 것입니다. 즉 중국에서 값싼 물건을 사다가 일본에 팔고, 일본에서 돌아오는 길에 일본의 싼 물건을 싸서 신라에다 판 것입니다. 그러다 보니 엄청난 이익을 챙기게 되었습니다.

둘째, 장보고는 점점 나라 간의 교류가 많아지는 국제 시대가 올 것을 알았습니다.

이것은 그가 멀리 앞을 내다보는 눈을 가졌다는 것을 말해 줍니다. 하나님의 자녀는 이렇게 남들보다 한 치 앞을 더 내다볼 줄 알아야 합니다.

셋째, 리더가 가져야할 또 중요한 자질 중 하나는 이것저것을 섞어서 복합적으로 생각하고 행동하는 것입니다.

당시 청해진은 1만 명의 민군(民軍)과 그 가족으로 이루어졌는데, 그 구성원들은 다양한 국적과 문화를 가지고 있었습니다. 장보고는 국가별 문화적 차이를 인정했으며, 청해진에 필요한 다양한 기능을 해외에서 공급받는(아웃소싱) 국제적 감각을 지니고 있었습니다. 그래서 청해진은 당시 무역과 관련된 복합적인 서비스를 제공했습니다. 민간 무역뿐 아니라 정부의 무역 대행, 한 · 중 · 일 3국 정부 공식 사절 안내, 여객 운송, 선박 건조와 수리, 통역 및 선원 제공, 종교 문화 지원 등의 기능을 보유하고 해상의 모든 서비스를 총괄하는 종합적인 서비스를 했습니다.

이를 위해서 그는 정확한 바닷길(항로)을 알아야 한다고 생각했습니다. 네비게이션도 없던 시절 장보고는 누구보다 밝은 눈을 가지고 바다의 지리를 한눈에 볼 수 있는 지도를 만들었습니다.

그는 또 항해술과 조선술에도 월등하게 뛰어났습니다. 이것은 바다에서 자라서 뼈가 굵은 그의 경험에 의해서 어떤 바다에 어떤 배가 좋은지, 어떤 나라의 배가 더 무역에 적합한지를 알았기 때문에 좋은 점만 뽑아 새로운 배를 만들 수 있었습니다. 이 모든 것은 복합적으로 묶어서 생각할 줄 아는 지혜가 있었기 때문입니다.

넷째, 장보고는 네트워크 활용 능력이 뛰어났습니다.

네트워크란 여러 곳에 있는 친구들을 하나로 묶는 지혜를 말합니다. 장보고가 당나라에서 엄청난 영향력을 키워갈 수 있었던 것은 신라 · 당 · 일본에 거주하고 있는 신라인들을 결속시킬 수 있었기 때문입니다. 이것을 오늘날로 말하면 글로벌 네트워크라고 합니다. 나라에 관계없이 긴밀한 협조 관계를 유지했을 정도로 친구들이 국제적이었고, 또 친했습니다. 자유를 누리는 사람은 다른 사람이 한 가지를 생각할 때 두 가지를 생각하고, 눈앞에 놓인 문제만 가지고 고민하고 씨름할 때 조금 더 멀리 보는 눈을 가지고 있습니다.

결론입니다

사람은 사고의 범위가 넓어야 큰일을 할 수 있습니다. 물론 모든 사람이 다 큰일을 해야 되는 것은 아니지만, 하나님의 자녀는 하나님의 뜻을 이 땅에서 이루어야 합니다. 그래서 우리는 늘 주기도문을 외울 때, "아버지의 뜻이 하늘에서 이룬 것 같이 땅에서도 이루어지이다"고 기도하는 것입니다. 하나님의 뜻을 이루기 위해 우리는 비전을 품어야 하고, 비전을 가지고 행동해야 합니다. 하나님은 우리에게 죽음의 공포에서의 자유, 실패에 대한 두려움으로부터의 자유, 죄에 대한 죄책감으로부터의 자유를 주셔서 일곱 번 넘어져도 여덟 번째 일어나게 하십니다. 따라서 우리는 하나님이 주신 자유를 가지고 보다 넓은 비전을 품어야 합니다. 그리고 종합적으로 생각하여 일을 시작하여 열매를 맺는 삶을 살아야 합니다. 이것이 우리를 향하신 예수님의 바람입니다.

'자유(自由)'라는 단어를 자세히 보십시오. 스스로(自) 말미암은(由) 길을 걸어가는 것이 자유입니다. 다시 말하면 자신에게 주어진 소명을 따라 사는 것이 자유입니다. 사도 바울은 주님이 주신 사명을 위해 스스로 종이 됐습니다. 자신의 작은 자유를 하나님의 나라를 위해 사용했습니다. 이런 사람이 큰 자유인입니다.

"내가 모든 사람에게서 자유로우나 스스로 모든 사람에게 종이 된 것은 더 많은 사람을 얻고자 함이라."(고전 9:19)

우리에게 자유를 주신 하나님 아버지를 진심으로 찬양합니다.

하나님은 우리가 죄에게 붙잡혀 종노릇하기를 원하지 않으시고 아들이라는 직분에 맞는 자유를 누리기를 원하십니다. 아들이면 하나님이 주신 자유를 가지고 다시 죄짓는 일에 자유를 사용하지 않고 선한 일에 사용하는 자유가 되게 하여 주옵소서. 비전을 품고 기도하며 하나님의 뜻을 이루기 위해 솔선하여 일하는 지회들이 되게 하여 주옵소서.

예수님의 이름으로 기도합니다. 아멘!

자유는 방종하지 않아요

Liberty does not indulge

(말씀 _ 23)

| 롬 13:12-13 |

밤이 깊고 낮이 가까웠으니 그러므로 우리가 어둠의 일을 벗고 빛의 갑옷을 입자 낮에와 같이 단정히 행하고 방탕하거나 술 취하지 말며 음란하거나 호색하지 말며 다투거나 시기하지 말고 오직 주 예수 그리스도로 옷 입고 정욕을 위하여 육신의 일을 도모하지 말라.

외울 말씀

"낮에와 같이 단정히 행하고 방탕하거나 술 취하지 말며 음란하거나 호색하지 말며 다투거나 시기하지 말고."(롬 13:12)

관련 동영상

대처수상

철의여인

울타리와 염소

알퐁스 도데라는 재밌는 작가가 지은 동화책으로 《울타리를 뛰어넘은 염소》가 있어요. 이 책은 “자유에는 왜 책임이 따를까”란 주제를 다뤘답니다.

내용은 대충 이렇습니다.

마음씨 착한 스갱 아저씨의 염소들이 있었습니다. 그런데 염소들은 안전한 울타리 안에 있지 않으려고 매일 같이 울타리를 뛰어넘으려고 합니다. 하지만 울타리를 넘어 밖으로 나간 염소는 늑대에게 잡혀 먹히고 맙니다. 그래도 염소는 울타리를 넘어 밖으로 나가고 싶어합니다.

염소들은 아저씨에게 이렇게 말합니다.

“매에엠! 늑대를 만나도 좋으니 밖으로 나가고 싶어요. 맴맴!”

“울타리 밖으로 나가면 잡혀 먹힐 텐데....”

“여긴 너무 갑갑해요!”

“나가면 안 되는데.....”

이를 어쩌죠? 그렇게 말려도 염소들은 울타리 밖으로 나가버립니다. 산에는 울타리를 벗어나는 염소를 잡아먹으려고 무시무

시한 늑대가 호시탐탐 노리고 있는 데 말입니다.

하지만 간신히 울타리 밖으로 나온 염소는 신이 났습니다. 산양과 어울려 재미나게 노는 것이 즐겁겠지만 늑대가 있으니 걱정입니다.

"늑대가 나타났다!"

스갱 아저씨의 집은 안전할 텐데 하면서도 집에 가면 갇혀 있어야 하니 가기 싫었습니다. 울타리 밖에서 늑대를 만난 염소는 늑대와 맞서 싸웠습니다. 하지만 늑대를 이길 수는 없기에 모두 다 잡혀 죽었습니다. 염소는 울타리를 넘어 자유를 얻었지만 늑대의 밥이 되고 만 것입니다.

진정한 자유를 누리기 위해서는 그만한 자격을 갖춰야 하는데, 아기 염소는 뿔이 좀 더 자라길 기다려야 했습니다. 자유가 있다고 자기 맘대로 하면 어떤 결과가 생기는지 염소를 보고 배울 수 있는 동화입니다.

자유에는 책임이 따른다는 것을 여러분은 깨달아야 합니다. 여러분들도 알겠지만 사람은 '아는 만큼', '배운 만큼', '생각하는 만큼' 머리가 자란다는 사실입니다. 머릿속에는 생각하는 근육이 있어서 단련하면 할수록 더 지혜로워지기 때문입니다.

자유의 상징, 대처 총리

영국에는 독서를 해서 지혜를 키운 한 여인이 훗날 나라를 구한 이야기가 있습니다. 그 얘기를 한 번 들어보십시오.

작은 시골의 가난한 농민의 집에 한 소녀가 있었습니다. 소녀의 아버지는 교육을 제대로 받지 못한 잡화상 주인이었습니다. 하지만 소녀의 아버지는 제대로 교육을 받지 못했더라도 여러 사람이 쓴 글을 읽으면 생각의 힘을 키울 수 있다고 믿었습니다.

5월 3일, 1979년

철의 여인 대처, 영국 총리 당선

1979년 5월 3일, '철의 여인' 마거릿 대처가 이끄는 보수당이 5년 만에 정권을 탈환하면서 영국 최초의 여성 총리가 탄생했다. 그녀는 신자유주의에 기반을 둔 과감한 시장주의 경제를 도입하여 고질적인 영국 병을 치유하려고 하였다. 장기간의 석탄 노동자 파업을 진압하고 주요 국영 기업을 민영화했으며, 사회 복지 혜택을 감축하였다.

정치적으로는 철저한 반공주의 정책을 폈고, EU 가입에 적대적이었으며, 아르헨티나와의 포클랜드 전쟁을 승리로 이끌었다. 이후 영국이 안정을 찾아가자 대처는 두 번이나 더 총리에 당선되어 11년간 영국을 재정비했다. 대처 이후에도 대처의 정책을 이어받은 메이저 총리가 계속해서 집권하였다.

노동당은 토니 블레어가 노동조합 간부들에게만 있는 투표권을 노동자들 모두에게 주는 식으로 당의 면모를 일신하여 대처 총리의 정책에 가깝게 노선을 변경하고 나서야 집권할 수 있었다.

그래서 소녀의 아버지는 딸에게 늘 신문이나 잡지 속에 있는 세상 돌아가는 이야기를 들려주었습니다. 소녀는 아버지의 이야기를 들으며 생각을 무럭무럭 키워 나갔습니다.

아버지 덕분에 일찍 글을 깨우치고 생각의 힘을 키운 소녀는 아버지가 읽다가 내버려 둔 신문이며 잡지 그리고 책들을 읽고 또 읽었습니다. 처음에는 어려워서 무슨 뜻인지 하나도 몰랐지만 자꾸 읽으니 점점 그 이야기들을 이해할 수 있었고, 이해할 수 있게 되니까 내용이 재미있어졌습니다.

시골에는 책이 별로 없었기 때문에 글자가 인쇄된 것이라면 신문 · 잡지 등 닥치는 대로 읽었습니다. 소녀는 책을 읽고 생각하는 힘을 점점 키워나갔습니다.

"아! 책은 정말 무궁무진한 이야기를 담고 있구나! 나도 나중에 사람들에게 무궁무진한 이야기를 해 줄 수 있는 사람이 되어야지!"

소녀는 특히 프랑스를 구한 잔다르크에게 푹 빠졌어요.

"잔다르크는 여자들이 아무것도 할 수 없던 시절인 데도 불구하고 자유를 위해 뜨겁게 싸웠구나! 나도 언젠가는 잔다르크처럼 자유를 위해 일하는 사람이 되어야지."

그렇게 마음먹었습니다. 이 소녀가 후일 영국의 첫 여자 총리가 된 마가렛 대처입니다. 대처는 자신이 정치를 하게 된 가장 중요한 동기에 대해 기자들에게 이렇게 말했습니다.

"어릴 때 아버지 덕분에 많은 독서를 했습니다. 저는 독서를 통해 자유의 중요성과 위대성, 그리고 자유에는 분명한 책임이 따른다는 생각을 갖게 되었습니다. 즉 자유는 아주 고귀한 가치이지만, 책임을 지는 사람에게만 지유가 필요하지 방종하거나 자유를 가지고 남을 억누르는 사람은 자유를 제한해야 한다는 것을 깨달았어요."

영국 병을 고친 여인

대처 총리가 집권하던 당시 영국에는 이런 말이 있었습니다.

"영국의 병은 신도 못 고친다."

자유와 부흥의 상징이었던 해가 지지 않는 대영제국 영국은 2차 세계대전 이후 '영국 병(The British Disease)'에 시달렸습니다. 영국 병이란 사회주의자들이 노동자들을 선동한 나머지 노동자들이 노동조합 간부들의 하수인이 되어 일어난 병이었습니다. 자재값은 올라가도 물가는 올릴 수 없는데, 노동자들은 노동자들의 권리라면서 해마다 파업을 통해 기업이 시장에서 소비자에게 봉

사한 대로 거둔 성과를 넘어 임금을 올릴 것을 요구했습니다. 심지어 공직을 맡아 국민에게 봉사해야 할 소방관들과 경찰들까지 파업에 돌입해 몇 달씩 일을 하지 않는 일이 영국 곳곳에서 일어났습니다.

이때 대처 수상은 "자유는 너무나 고귀한 가치이다. 하지만 자유에는 그에 맞는 책임이 따른다."는 말로 사회주의자들 및 노동조합 간부들에게 예속되어 있는 노동자들을 구하기 위해 파업에 적극 대응하기로 선언하였습니다. 그 결과 1979년 5월 총선에서 마거릿 대처 당 대표가 이끄는 보수당이 과반수보다 43석이나 더 차지하며 9년 만에 집권당이 되었습니다.

우선 파업을 할 때 간부들이 임의로 결정하지 못하게 하고, 반드시 노동조합 구성원인 노동자들의 동의를 얻도록 했습니다. 이때부터 노동당의 후원 세력인 노조가 무너지기 시작했습니다. 노동자들이 노조간부들과 맞섰기 때문입니다. 대처 총리는 자유를 자신들만의 이기심에 사용하는 자는 개인이든 노조든 용서하지 않겠다고 선언합니다. 그리고 "책임을 지지 않는다면 노조라도 길들이겠다!"는 자극적인 용어를 쓰면서 선거 운동을 했습니다. 그러자 노동자들의 파업에 넌더리가 난 다른 유권자들도 드디어 보수당의 대처를 믿고 따르게 되고 결국은 집권하게 되었습니다. 그리고 약속한 대로 개혁을 시작했습니다.

그렇게 4년이 지난 대처 정부는 1982년 아르헨티나 군사독재 정부의 포클랜드 침공을 막아내기도 하였으며, 그에 따른 국민들의 열화와 같은 지지로 1983년 총선에서 1979년 첫 집권 때보다 무려 101석을 더 얻는 압승을 거두며 집권 2기를 맞았습니다. 대처의 원칙론이 국민들의 호응을 얻은 것입니다.

예를 들면 재집권 1년 뒤인 1984년 대처 정부는 적자가 계속되던 석탄 탄광 200개(20세기 초 영국에는 1,000여 개의 탄광이 있었다. 그러다가 경제적 이유로 계속 문을 닫아 200개만 남았다) 중 20개를 폐쇄하기로 결정했습니다. 당시 영국산 석탄은 국제 시가보다 25%가 더 비쌌기 때문입니다. 영국 정부로서는 공기업으로서 돈을 벌어오기는커녕 예산을 잡아먹는 애물단지로 전락한 적자 탄광을 계속 보조해야 할 이유를 찾지 못했습니다. 20개 탄광 폐쇄에도 불구하고, 대처 정부는 다른 탄광으로의 전근, 다른 직업으로의 알선, 명예퇴직들을 지원하였습니다.

그렇지만 이를 모든 광부의 일터를 빼앗는 것이라고 거짓 선동한 탄광노조는 1984년 3월 파업을 시작합니다. 탄광노조는 당시 영국 노조 중 가장 크고 강성인 사회주의 노조였으니 쉽게 물러날 리가 없었습니다. 더군다나 당시 탄광노조는 아서 스카길이 라는 전형적인 사회주의 노동귀족이 이끌고 있었습니다. 탄광노조의 파업을 시작으로 영국의 각 사회주의 노조들이 연대 파업에 동참했습니다. 런던 시내 지하철과 버스가 동시에 파업을 해서 런던이 완전히 멈춰 버리는가 하면 항만노조의 파업으로 해외 수입이 중단되기도 했습니다. 슈퍼마켓에 생필품이 떨어지는 상황까지 벌어졌습니다. 하지만 철의 여인 대처는 굽히지 않고 개혁을 거듭해 영국 병을 치유하고, 결국은 재정을 흑자로 되돌려 놓을 수 있었습니다.

노동자들은 시장에서 소비자들의 신망을 얻은 기업가에게 합세해서 함께(com) 빵(pany)을 먹고 사는 사람들입니다. 그래서 우리가 아는 회사 이름은 영어로 흔히 '기업가 이름 and company'라는 식으로 씁니다. 노동자들이 사회주의자들의 허위 선동에서 벗어나기만 하면, 이러한 진실을 알 수 있기 때문에 대처 총리는 노동자들과 함께 사회주의 노조간부들에 맞서서 결국 승리했던 것입니다.

마가렛 대처가 했던 유명한 말 중의 하나가 다음의 말입니다.

"생각을 조심해라. 말이 된다. 말을 조심해라. 행동이 된다. 행동을 조심해라. 습관이 된다. 습관을 조심해라. 성격이 된다. 성격을 조심해라. 운명이 된다. 우리는 생각하는 대로 된다."

– 마가렛 대처 –

결론입니다

자유는 쾌락과 소유를 통해 얻는 것이 아닙니다. 많은 현대인들이 사람의 노예, 돈의 노예, 음욕의 노예, 원망의 노예, 탐욕의 노예, 미움의 노예로 삽니다. 자유란 인간을 얽매고 있는 죄의 사슬에서 벗어나지 않고는 결단코 얻을 수 없습니다.

예수님은 우리의 죄의 삯을 대신 지불하시고 우리에게 영원한 자유를 주셨습니다. 그러므로 자유는 하나님 안에 있습니다. 믿음 안에 자유가 있습니다. 완벽한 운전자인 하나님께서 불안한 내 인생의 운전대를 잡고 계신 것을 확인하는 순간부터 나는 진정한 자유를 누릴 수 있습니다. 참된 자유 속에 사랑이 있고 감사가 있습니다. '나'라고 하는 고집을 버리지 않고는 자유함이 없습니다. 살아 계신 하나님께 항복하지 않고는 결코 영원한 자유는 보장되지 않습니다. 당신은 어디서 자유함을 얻고 있습니까?

"진리를 알지니 진리가 너희를 자유케 하리라."(요 8:32)

하나님 아버지!

우리에게 참된 자유를 주시고 또 그것을 누리게 하시니 감사합니다. 하나님이 우리를 지으시고 자유를 주신 것은 방종하라고 하심이 아니요. 자연과 사람들에게 하나님의 사랑과 진리를 전하기 위해서 인줄 믿습니다. 그러므로 우리는 힘써 나의 자유를 가지고 다른 사람들을 자유롭게 하는 일에 제가 헌신되게 하여 주옵소서.

예수님의 좋으신 이름으로 기도드립니다. 아멘!

자유를 누릴 실력을 키우라

Increase your ability to enjoy liberty

(말씀 _ 24)

벧전 4:1-5

그리스도께서 이미 육체의 고난을 받으셨으니 너희도 같은 마음으로 갑옷을 삼으라 이는 육체의 고난을 받은 자는 죄를 그쳤음이니 그 후로는 다시 사람의 정욕을 따르지 않고 하나님의 뜻을 따라 육체의 남은 때를 살게 하려 함이라 너희가 음란과 정욕과 술취함과 방탕과 향락과 무법한 우상 숭배를 하여 이방인의 뜻을 따라 행한 것은 지나간 때로 족하도다 이러므로 너희가 그들과 함께 그런 극한 방탕에 달음질하지 아니하는 것을 그들이 이상히 여겨 비방하나 그들이 산 자와 죽은 자를 심판하기로 예비하신 이에게 사실대로 고하리라.

외울 말씀

"그리스도께서 이미 육체의 고난을 받으셨으니 너희도 같은 마음으로 갑옷을 삼으라 이는 육체의 고난을 받은 자는 죄를 그쳤음이니."(벧전 4:1)

관련 동영상

파키스탄소년 이크발

자유를 누릴 실력을 키우라

여러분들도 알겠지만 책 읽는 것보다는 만화를 보는 게 재밌고, 만화보다는 인터넷 게임이 더 재미있습니다. 그러면 왜 책을 읽고 공부하는 게 그렇게 힘들까요? 그 이유는 책읽기와 공부는 운동하는 것과 비슷하기 때문입니다. 운동을 원리에 따라 체계적으로 또 반복적으로 하면 근육이 생기고 힘도 세어지고 건강해진다는 것을 알지만, 우리가 운동을 잘 하지 않는 이유는 힘이 들기 때문입니다. 마찬가지로 머리를 쓰는 것도 그렇습니다.

여러분들도 알겠지만 머리를 놀리면 심심합니다. 그래서 머리도 운동하는 것을 좋아하는데, 사람은 인과관계나 원리를 꼼꼼히 따져보고, 계속해서 몸에 익혀야 하는 공부나 독서보다 대충 봐도 알 수 있는 만화 보기나 하기 쉬운 놀이인 게임을 하려는 경향이 있다는 겁니다.

솔직히 말하면 어른들도 교수님들도 때론 머리 운동하기가 싫을 때가 많습니다. 그래서 때때로 일을 하거나 원고를 써야 하는데, 한 달 두 달씩 게으름을 피우며 뒤로 미루어 놓기도 합니다. 하지만 그렇게 하면 해야 할 일이 쌓여 나중에는 더 큰 힘이 들게 됩니다.

저는 여러분들이 게임에 쉽게 빠져드는 이유를 알고 있습니다.

아빠나 엄마들, 어른들도 예전에는 다 그랬습니다. 어느 날은 친구들과 하던 술래잡기가 얼마나 재미있었는지 저녁 먹을 시간도 잊고 있다가 아빠 · 엄마한테 혼난 뒤, 저녁을 굶고 잔 적도 있었습니다.

그런데 말입니다. 운동도 그렇지만 공부나 독서도 주위에 재밌는 것이 없을 때 더 쉽습니다. 필자는 10살 때 아버지가 중풍으로 쓰러지시는 바람에 새벽에 신문 배달을 했습니다. 월요일을 뺀 나머지 6일은 새벽 5시 반이면 어김없이 일어나 신문을 돌려야 했습니다. 참 힘들었죠.

하지만 그 어려움 속에서도 한 가지 재미는 있었습니다. 당시에는 부자들만 신문을 볼 수 있었는데, 필자는 매일 신문을 마음대로 볼 수 있었으니까요. 열 살짜리 아이가 신문을 읽는다고 해서 내용을 얼마나 알겠습니까? 하지만 매일 신문을 읽다 보니, 읽기 실력도 늘고 세상의 일들이 어떻게 돌아가는지 알게 되었습니다. 그래서 학교에 가서 친구들과 놀 때는 유식하게 이야기할 수 있었습니다. 어제 일어난 사건을 자세히 얘기해 주면, 친구들은 그걸 어떻게 알았느냐며 놀라곤 했지요.

자유를 위해서는 용기가 필요하다

프란체스코 다다모가 쓴 글 중에 《난 두렵지 않아요》란 책이 있습니다. 《난 두렵지 않아요》는 파키스탄의 12살 소년으로 노동운동가가 된 '이크발 마시흐'의 삶을 다룬 실화소설입니다.

파티마는 파키스탄의 소녀입니다. 집안의 빚 때문에 카펫 공장에 노예로 팔려가 하루에 25원을 받고 10시간 이상 쇠사슬에 묶인 채 카펫을 짜야만 했습니다. 사정이 비슷한 그곳의 친구들과 함께 빚을 다 갚고 자유의 몸이 될 날만을 고대하며 노예의 삶을 견디고 있었습니다.

그러던 어느 날 '이크발'이라는 새로운 아이가 들어왔는데, 그 아이는 특별했습니다. 네 살 무렵부터 공장에서 일해 누구보다도 솜씨가 좋아 어려운 무늬도 완벽하게 해냈습니다. 그보다 더 특별한 것은 자유를 얻는 방법에 대한 생각이었습니다. 이크발은 노예 소유주가 빚이 늘어나게끔 했으니 탈출해야만 한다고 친구들에게 말하기 시작했습니다. 이크발은 쇠사슬에 묶여 체념하며 살아가는 친구들에게 자유에 대한 꿈을 심어준 것입니다.

그래서 파티마는 이렇게 적고 있습니다.

"이크발과 함께 자유가 왔다."

두 번의 탈출 시도 끝에 성공한 이크발은 미성년자 노동해방전선의 에센 칸을 만납니다. 그를 통해 새로운 삶을 살게 됩니다. 열악한 노동 현장에서 폭력에 시달리며 노예로 살고 있는 아이들의 현실을 고발하고 많은 아이들을 구해내기로 하고 운동을 합니다. 1992년부터 그는 7백만이나 되는 파키스탄 미성년 노동자들이 착취당하는 상황을 고발하고 그들을 해방시키는 일에 적극적으로 뛰어든 것입니다. 그의 활동이 차츰 알려지면서 미성년 노동자들을 노예로 부리던 대형공장들 수십 곳이 문을 닫고 수천 명의 어린이들이 자유를 얻기도 했습니다. 이크발은 1994년에 국제 인권단체가 주관하는 '행동하는 젊은이 상'을 타기에 이르렀습니다.

이크발의 고발로 다른 친구들과 함께 구출되어 고향으로 간 파티마는 얼마 후 충격적인 소식을 듣게 됩니다. 이크발이 괴한이 쏜 총에 맞아 숨을 거두었다는 것입니다. 1995년 열세 살밖에 되지 않은 이크발은 그만 노예 소유주들이 결성한 마피아에게 살해당한 것입니다.

하지만 그 사건 이후 이크발의 이름은 전 세계 어린이의 해방을 위한 투쟁의 상징이 되었습니다. 덕분에 이크발은 비록 죽었지만 2000년 어린이 노벨상이라 불리는 '세계어린이상'의 첫 수상자로 선정되기도 했습니다.

이탈리아의 작가 프란체스코 다다모가 이크발의 사망 기사를 읽고 사람들이 이크발을 기억해주기를 바라면서 이 작품을 썼습니다.

지금도 파키스탄, 방글라데시, 아프가니스탄, 인도의 일부에서는 5살부터 14살의 어린아이들이 쇠사슬에 묶인 채 노예로 굶주림에 시달려 가며 노동에 시달리고 있습니다. 부모들은 돈이 없어 아이들을 팝니다. 그러면 어린아이들은 온갖 학대를 받으며 글자도 배우지 못한 채 매일 노동에 시달리고 영양실조로 장애아로 살다가 이른 나이에 죽고 맙니다. 아직도 세계에는 약 3억 명에 달하는 어린아이들이 노동을 착취당하고 배울 권리를 박탈당한 채 살아가고 있습니다. 이들에게 노예 해방이 이루어지도록 하고 자유를 선물할 사람은 누구일까요?

진정한 자유는 평등을 만든다

현대판 노예제 사회인 공산주의와 반대되는 자유민주주의에서는 시장경제가 매우 중요한 가치를 가지고 있습니다. 공산주의 사회에서는 원래 시장부터 없앴습니다. 공산주의 권력자들은 시장 봉사자들이 소비자들의 호응을 얻어 돈을 버는 것을 두고 볼 수 없었기 때문이지요.

하지만 공산주의를 따르는 중국이나 북한조차도 요즘은 시장이 다시 생겨났습니다. 왜냐하면 공동 생산과 공동 분배는 지도자만이 소비자들의 욕구를 판단하고 그에 맞게 생산을 할 것을 결정하므로 막상 노예의 처지로 전락한 국민들은 공동으로 일할 때는 게으르고, 나눌 때는 욕심을 부리기 때문입니다.

시장경제가 중요하긴 하지만 하나님이 주신 땅만큼은 시장경제에 맡겨서는 안 된다고 그래서 국가가 땅에 대한 세금을 거두어야 한다고 생각한 사람이 있었습니다. 이것은 성경의 가치와 통하는 것이 아닙니다. 성경은 "땅은 영원히 여호와의 것"이라고 선언하였지, 국가의 것이라고 한 적이 없습니다.

"토지를 영구히 팔지 말 것은 토지는 다 내 것임이니라. 너희

는 거류민이요 동거하는 자로서 나와 함께 있느니라."(레 25:23)

이러한 성경적 증거를 왜곡하고 "토지의 공적 개념"을 주장하여 국가가 토지에 중과세를 해야 한다고 주장한 사람이 바로 헨리 조지라는 학자입니다. 그는 '샌프란시스코의 선지자'라고 불렸습니다. 19세기 미국이 낳은 독실한 기독교 신자이자 경세 사상가였습니다. 그가 쓴 책의 제목이 《진보와 빈곤》입니다.

그는 그의 책에서 "권력과 착취는 땅 소유에서 나온다"고 했습니다. 그러나, 그는 봉건제 이전 시대에는 땅을 무력으로 점령하고 빼앗아 세금을 상납받았지만 시장경제 시대에는 사람들에게 봉사하기위해 최적의 장소를 선택하여 그곳을 개발하게 되는데, 그래서 어떤 곳의 땅은 값이 치솟지만 다른 곳의 땅은 값이 나가지 않는다는 것을 몰랐습니다. 시장경제 시대에는 이러한 땅 소유권도 사실은 관리권에 불과합니다. 만일 땅 소유자가 소비자에게 봉사하는 것을 거부한다면 그는 곧 소유권을 상실당할 것입니다. 그렇지만 헨리 조지는 무력에 의한 약탈로 변동되는 소유권과 시장경제 봉사 결과로 변동되는 소유권을 구별하지 못했고, 인과 관계도 혼동했습니다.

이러한 차이를 가장 잘 설명한 사람은 자유시장경제학자 미제스(Ludwig von Mises)입니다. 그는 시장경제에서 재산권은 소비자들에게 봉사를 가장 잘한 사람에게 맡겨진 관리권을 의미한다고 말했고 이것을 시장경제의 법칙으로 보았습니다. 이제는 하나님을 국가로 바꿔치기 한, 그래서 사회주의로의 길을 연 헨리 조지의 왜곡에서 벗어나야겠죠?

결론입니다

크리스천들은 성경적 진리를 실천해야 합니다. 구약 창세기 1:28~30에 따르면 하나님이 사람들에게 "땅을 지배하여라"라고 했을 뿐 아니라 "바다의 물고기와 하늘의 새와 땅을 기어 다니는 온갖 생물을 다스려라"라고도 했습니다. 소유권은 하나님이 자신이 만든 '사람'에게 이전한 것이지, 하나님이 '국가'에 준 것이 아님을 알 수 있습니다. 나아가 모세 십계명으로 알려진 신명기 5장에 있는 여러 계명 중에도 "도둑질해서는 안 된다.", "이웃의 아내를 탐내서는 안 된다. 이웃의 집이나 밭, 사내종이나 여종, 소나 나귀 할 것 없이 이웃의 재산은 무엇이든지 욕심내서는 안 된다."라고 되어 있습니다. 따라서 그리스도교적으로 볼 때 소유권은 천부적인 것으로서 신성한 것이며, 약탈이나 도둑질, 사기에 의한 소유권 이전은 허용되지 않고, 오직 사람들 사이의 계약으로 또 거래로 소유권이 이전될 수 있음을 알 수 있습니다. 실제로는 시장 경제적인 상행위나 교환만이 성경적으로 인정되고 있음을 알 수 있습니다.

그리스도교인들은 성경적 가르침에 충실하면서 하나님이 만드신 같은 피조물인 타인에게 봉사하는 삶을 살아야 합니다. 그 속에서만 부를 정당하게 일굴 수 있습니다. 그리고 그 부를 바탕으로 더욱 자유로운 삶을 살 수 있습니다.

하나님 아버지!

우리에게 땅과 거기에 속한 것들을 관리하도록 창조하여 주셨음을 찬양합니다. 땅은 영원히 하나님의 것이기에 우리는 잠시 이 땅을 빌려 사용하다가 때가 되면 하나님의 나라에 들어가야 합니다. 나의 자유가 귀하고 소중하듯이 다른 사람의 자유도 소중합니다. 주님의 음성을 듣는 저희들이 되어 자유와 평등을 이 땅에 심는 저희들이 되기 원합니다.

예수님의 위대한 이름으로 기도합니다. 아멘!